VIAJE DEL PARNASO

clásicos castalia

COLECCIÓN FUNDADA POR
DON ANTONIO RODRÍGUEZ-MOÑINO

DIRECTOR
DON ALONSO ZAMORA VICENTE

Colaboradores de los volúmenes publicados:

Andrés Amorós. Farris Anderson. René Andioc. Joaquín Arce. Eugenio Asensio. Juan B. Avalle-Arce. Francisco Ayala. Hannah E. Bergman. Bernardo Blanco González. Alberto Blecua. José Manuel Blecua. Laureano Bonet. Carmen Bravo Villasante. María Josefa Canellada. José Luis Cano. Soledad Carrasco. José Caso González. Elena Catena. Biruté Ciplijauskaité. Evaristo Correa Calderón. Bruno Damiani. Cyrus C. de Coster, Albert Dérozier. José M. Díez Borque. Ricardo Doménech. John C. Dowling. Manuel Durán. José Durand. Rafael Ferreres. Yves-René Fonquerne. E. Inman Fox. Vicente Gaos. Salvador García. Luciano García Lorenzo. Joaquín González-Muela. F. González Ollé. Ernesto Jareño. R. O. Jones. A. David Kossoff. Teresa Labarta de Chaves. Carolyn R. Lee. Isaías Lerner. Juan M. Lope Blanch. Francisco López Estrada. Luisa López-Grigera. Leopoldo de Luis. Felipe C. R. Maldonado. Robert Marrast. Marina Mayoral Díaz. D. W. McPheeters. Guy Mercadier. Ian Michael. Miguel Mihura. José F. Montesinos. Edwin S. Morby. Marcos A. Morínigo. Luis Andrés Murillo. André Nougué. Joseph Pérez. Jean Louis Picoche. John H. R. Polt. Antonio Prieto. Arturo Ramoneda. Jean-Pierre Ressot. Francisco Rico. Dionisio Ridruejo. Elias L. Rivers. Julio Rodríguez Luis. Leonardo Romero. Juan Manuel Rozas. Fernando G. Salinero. José Sanchis-Banús. Russell P. Sebold. Dorothy S. Severin. Margarita Smerdou Altolaguirre. N. Spadaccini. Jean Testas. José Carlos de Torres. José María Valverde. Stanko B. Vranich. Frida Weber de Kurlat. Keith Whinnom. Anthony N. Zahareas.

MIGUEL DE CERVANTES

POESÍAS COMPLETAS, I
VIAJE DEL PARNASO
y
ADJUNTA AL PARNASO

Edición,
introducción y notas
de
VICENTE GAOS

Madrid

Zurbano,39 - Tel. 419 58 57 - Madrid (10)

Impreso en España, Printed in Spain
por Unigraf S.A. - Fuenlabrada (Madrid)
Cubierta de Víctor Sanz
I.S.B.N. 84 - 7039 - 165 - 8
Depósito Legal: M - 9783 - 1980

SUMARIO

INTRODUCCIÓN

CERVANTES, POETA

LA obra en verso de nuestro máximo prosista es parte considerable de su producción total y se escalona a lo largo de la vida del autor.[1] Desde las composiciones "A la muerte de Isabel de Valois" —1569, lo más antiguo que nos queda de su pluma— hasta el *Persiles* —publicado póstumamente en 1617— Cervantes no dejó de cultivar la poesía. En verso escribió todas sus *Comedias,* varios *Entremeses,* el *Viaje del Parnaso* y cierto número de *Poesías sueltas.* El verso ocupa buena porción de *La Galatea* y aparece inserto, con más o menos frecuencia, en el *Quijote,* en algunas *Novelas ejemplares* y en el *Persiles.*[2]

1 Como poeta, Cervantes ha sido muy poco y mal estudiado. Así lo reconoce G. Díaz Plaja, *La poesía lírica española*: "Está por hacer un estudio moderno y completo de esta faceta cervantina". La mayoría de los críticos que, más o menos incidentalmente, se han ocupado del asunto, apenas han hecho otra cosa que preguntarse si Cervantes fue o no poeta, pronunciándose por la negativa, o, como reacción natural, por el ditirambo infundado. El trabajo más completo es el de Ricardo Rojas. El más enjundioso que conozco sobre el tema, el de Gerardo Diego. El de J. M. Claube [Blecua] es principalmente un recuento valorativo de las diversas composiciones cervantinas. Para Blecua los críticos más ecuánimes son A. Valbuena Prat, en su *Historia de la literatura española,* y G. Díaz-Plaja, en la obra antecitada. Entre los trabajos más recientes tiene notable interés el de Luis Cernuda. El de Menéndez Pelayo data de 1873 y es la pieza de crítica literaria más antigua de su autor, pero encierra algún valor, a pesar de lo que digo más adelante (ver nota 20).

2 No es muy exacto Cernuda al decir que "Lope escribió versos torrencialmente y Cervantes unos pocos tan solos." No

Tan cuantioso y sostenido empeño parece prueba evidente de que Cervantes era sincero al confesarnos su vocación. En el prólogo a *La Galatea* (1585) declara: "la inclinación que a la poesía siempre he tenido". En el *Viaje del Parnaso* (1614), casi treinta años más tarde, insiste:

> Desde mis tiernos años amé el arte
> dulce de la agradable poesía.
>
> (IV, 31-32)

Ricardo Rojas da por sentada esta vocación:

> La vocación de Cervantes por la poesía lírica data de su adolescencia, y no dejó de versificar durante su larga vida hasta los tiempos de la extrema vejez. He aquí dos rasgos, la precocidad y la constancia, que bastan para definir lo que hay de espontáneo y genuino en una vocación. Cervantes concluyó su vida como la había empezado: rimando versos.

Del mismo modo, Gerardo Diego:

> Sin la divina vocación no hay poeta legítimo. Y sobre la de Miguel de Cervantes, desde la natural inclinación de su temprana mocedad hasta la constancia conmovedora de su vejez... no podemos albergar sospecha... Miguel, que nació poeta, poeta confesado murió.

No obstante, y sin que ello equivalga en modo alguno a negarle toda propensión poética, cabe pensar que Cervantes no fue lo que suele llamarse, en rigor, "poeta

---

fueron tan pocos. Rojas destaca "la cantidad enorme de versos que nos dejó, superior a la de Manrique, Santillana, Garcilaso, Castillejo, Boscán, Herrera, Góngora, Luis de León y los poetas menores". Claro que la fecundidad de Cervantes —o de cualquier otro— es muy inferior a la de Lope. Pero, como puntualiza Gerardo Diego, Cervantes "no fue poeta que al hacer de sus versos sude e hipe, sino de los de vena abundante y rica, aunque ciertamente con sombra y aun sombras de imperfecta".

nato".[3] Tenía un elevado concepto de la poesía[4] y la practicó con asiduo afán, pero su actitud ante ella es ambivalente. En ocasiones hizo burla sutil no sólo de los malos poetas, sino de la poesía misma,[5] y resulta indudable que no halló en el verso cauce adecuado para la plena expresión de su mundo. Para expresarse íntegramente la prosa le era indispensable, y si escribió bastante poesía fue porque el verso era vehículo obligado en la época para una serie de géneros literarios —lo pastoril, el drama, el poema docto— en que ningún autor del siglo de oro podía dejar de ejercitarse. Fuera de ello sólo escribió unas cuantas poesías de circunstancias.[6] No, Cervantes no había nacido precisamente

3 F. Navarro Ledesma escribe: "Nació Cervantes, como Zorrilla, gran poeta en verso, pero el discurso de su vida y la superioridad de su genio le forjaron gran poeta en prosa". Y R. Rojas: "La conciencia del verso debió nacerle como función espontánea del talento nativo, lo cual es otro rasgo de verdadero poeta". También Cernuda, comentando las seguidillas "Por un sevillano rufo a lo valón...", concluye: "Todo, levedad, ligereza, gracia, nos dice en estos versos que era poeta nato". No creo que estos juicios contradigan realmente lo que yo sostengo.

4 "Tuvo una idea elevadísima de la Poesía, y llegó a hacer de ella una especie de religión... Pero no poseyó, evidentemente, las dotes necesarias para ocupar un puesto elevado en el sacerdocio de un culto semejante". Schevill-Bonilla, *Obras completas,* t. VI). "...creo que la propia índole del genio de Cervantes, como novelista y dramaturgo, estaba revelando a esa crítica hostil, la condición psicológica de un poeta nativo. Recordemos el poder de 'creación' inmediata o realidad potencial que atribuye a la palabra... Otro rasgo de su genio es el contraste doloroso —trágico o grotesco— que la realidad presenta siempre a su sensibilidad estética, como si, tácitamente, su numen la confrontara con la visión excelsa que lleva dentro de sí. Esa constancia con que su inspiración se vuelve siempre a las esferas superiores del alma, tales como el platonismo en la concepción del amor y la caballería y en la concepción de la gloria—, todo, en fin, nos indica que el espíritu de Cervantes alentó en las esferas de la más pura y soberana poesía". R. Rojas.

5 Cervantes se burló principalmente, pero no exclusivamente, de la poesía barroca. La ambivalencia de su actitud ante la poesía —atracción y desvío a la vez— es comparable a la que sintió ante la literatura pastoril.

6 "lo conservado es casi todo poesía de circunstancias, no a la manera goethiana, sino a la otra." Blecua. Por su parte, Díaz-Plaja llama la atención sobre el siguiente obstáculo a la justa apreciación de Cervantes: "La inexistencia de un 'corpus' independiente de poesías cervantinas ha servido a la crítica tradicio-

poeta. Pero, como protesta Menéndez Pelayo: "de que sea el primero de nuestros prosistas, ¿debe inferirse que sea el último de nuestros poetas?".

La escasa estima por la poesía de Cervantes se inicia ya en sus contemporáneos y continúa hasta la fecha, basada en aquellos juicios y en las palabras, que parecen admisión de su acierto, por parte del propio Cervantes. De Lope a Quintana, pasando por Suárez de Figueroa, Espinel, Melo, Villegas, Gracián y otros, la opinión despectiva va tomando cuerpo hasta convertirse en lugar común. El sobadísimo terceto del *Viaje del Parnaso*:

> Yo, que siempre trabajo y me desvelo
> por parecer que tengo de poeta
> la gracia que no quiso darme el cielo,
>
> (I, 25-27)

la frase del prólogo a las *Ocho Comedias...*: "En esta sazón me dijo un librero que él me las comprara si un autor de título no le hubiera dicho que de mi prosa se podía esperar mucho, pero que del verso nada", y la del *Quijote* (I, VI): "Muchos años ha que es grande amigo mío ese Cervantes, y sé que es más versado en desdichas que en versos", se han alegado muchas veces como el reconocimiento explícito de que Cervantes mismo se tenía por mal poeta.

Al parecer fue Navarrete quien primero desgajó de su contexto el referido terceto del *Viaje,* interpretándolo al pie de la letra, y la rutina ha perpetuado hasta hoy mismo este desdichado juicio. ¿Por qué no han observado los críticos las numerosas ocasiones en que Cervantes alardeó justamente de lo contrario, de su "gracia" de poeta, o en que censuró la falta de ella en otros autores, como quien sabe muy bien en qué consiste su presencia o su ausencia? Sólo en el *Viaje del Parnaso* espigo estas muestras:

---

nal para encontrar justificados los versos del *Viaje del Parnaso*: 'Yo que siempre trabajo y me desvelo...' ".

Pasa, raro inventor, pasa adelante
con tu sotil disinio, y presta ayuda
a Apolo, que la tuya es importante,
antes que el escuadrón vulgar acuda
de más de veinte mil sietemesinos
poetas, que de serlo están en duda.[7]
(I, 223-228)

El bajel, que es razón, lector, que alabes.
(I, 291)

¿Consentirás tú, a dicha, participe
del licor suavísimo un poeta
que al hacer de sus versos sude y hipe?
No lo consentirás, pues tu discreta
vena, abundante y rica, no permite
cosa que tenga sombra de imperfecta.
(II, 88-93)

¡Cuerpo de mí con tanta poetambre!
(II, 396)

Dijo: —¿Será posible que en España
haya nueve poetas laureados?[8]
(VIII, 97-98)

Volviendo al terceto en cuestión, ya Menéndez Pelayo lo interpretó de otro modo: "Así se lamentaba Cervantes, en su *Viaje del Parnaso,* de la falta de talento poético, que creía tener y que le negaban obstinadamente sus contemporáneos".[9] Y otros —por ejemplo,

[7] No me parece admisible la interpretación que Rodríguez Marín da a este verso: "El verbo en plural hace anfibológica la frase, pues a primera vista parece que ellos, los poetas, están dudosos de si lo son. Quiere decir que está en duda, o es dudoso, que sean poetas".

[8] Comp. además, *Quijote,* II, IV: "...de los famosos poetas que había en España, que decían que no eran sino tres y medio". Y *El licenciado Vidriera*: "del infinito número de poetas que había eran tan pocos los buenos, que casi no hacían número, y así, como si no hubiese poetas, no los estimaba". Ver más muestras en págs. 192-205.

[9] Siguen tomando al pie de la letra la declaración de Cervantes sobre su falta de "gracia" poética, entre otros, Schevill-Bonilla: "Como le faltaba 'la gracia que no quiso darle el

Cortejón, Ricardo Rojas, Blecua— han señalado el carácter irónico o humorístico de la confesión cervantina.[10] Con razón, y siguiendo a Rojas, propone Blecua que, abandonando el prejuicio de tomar tales versos, entendidos al pie de la letra, por punto de partida escojamos los del mismo *Viaje del Parnaso* que comienzan:

> Yo soy aquel que en la invención excede...
>
> (IV, 28 ss.)

---

cielo'..."; Valbuena Prat: "El conocido terceto del *Viaje del Parnaso* descubre la amargura de una confesión". Incluso Cernuda escribe: "El propio Cervantes parece desengañado de tal capacidad [la de poeta], escribiendo como escribe pocos años antes de su muerte, en el *Viaje del Parnaso,* rendido sin duda de oír a unos y a otros la opinión negativa: 'Yo, que siempre trabajo y me desvelo...' Mala señal ésa en un escritor, al aceptar la derrota de sus pretensiones y reconociendo y haciendo suya la opinión desfavorable que sobre él tienen sus contemporáneos". En una de las más recientes Historias de la literatura española, la de J. L. Alborg, leemos aún: "precisamente porque la cultivaba [la poesía] con tanto amor, expresó su atormentadora inseguridad en aquellos repetidísimos versos del *Viaje del Parnaso*...". Menos repetidas que esos versos son las palabras puestas por el autor en boca de su *alter ego,* Pancracio de Roncesvalles, el consabido "amigo" de Cervantes, que no es otro que él mismo, en la *Adjunta al Parnaso*: "yo, por la gracia de Apolo, soy poeta, o a lo menos deseo serlo". Pero si estas palabras refrendan el terceto del *Viaje,* ya hemos visto cuántas otras lo contradicen, empezando por el soneto que encabeza la obra, "El autor a su pluma", en el cual, si todavía habla de "pluma mía mal cortada", termina con este gallardo desafío: "Que yo os le marco por vendible, y basta".

[10] "La leyenda que en torno de Cervantes como poeta han ido formando los siglos, comenzó a escribirla él mismo en el *Viaje del Parnaso* y en el prólogo de sus *Comedias,* donde pone en boca de otro lo que en sentido humorístico había afirmado en la primera de dichas obras". C. Cortejón, ed del *Quijote,* t. II, p. 281, nota 2. Para Ricardo Rojas, los versos de Cervantes "encubren una ironía bajo su fingida humildad... Cervantes, en el *Viaje,* lejos de confesar ingenuamente que no había recibido del cielo el don de la poesía, se nos presenta en él gallardamente como un poeta seguro de su mérito". Menos tajante, Blecua advierte: "La interpretación dada al terceto es un poco exagerada. Sin negar que pueda haber en esos tres versos una cierta lamentación autobiográfica, creemos que no pueden desgajarse violentamente, presentándolos aislados como una afirmación rotunda. Leyendo los tercetos siguientes, no será difícil observar un cierto aire burlesco, irónico, como lo tiene casi todo el *Viaje*... Creo que la intención burlesca está bien clara".

A los que hay que sumar los tan arrogantes iniciados con el verso

¡Oh Adán de los poetas, oh Cervantes!...[11]
(I, 202 ss.)

A falta de críticos entendidos y bienintencionados, Cervantes manifestó a menudo —ya directamente, ya a través de sus personajes— el juicio que le merecían sus propias poesías. Es obvio que no se lo merecían adverso, y con fundado motivo.[12] Pues, aunque no fuese poeta indeclinable, con todo era gran poeta, y si a muchos todavía no se lo parece es por la singularidad misma de su poesía, poco semejante a la que entre nosotros más suele apreciarse. Es también, claro, porque, quiérase o no, siempre se establece una comparación entre la calidad insuperable de lo que Cervantes logró en prosa y lo conseguido en verso. Sería quizá deseable prescindir de este tácito paralelo. Pero no puede hacerse. Como advierte con toda justicia Gerardo Diego:

> es muy fácil decir: Vamos a juzgar la poesía de Cervantes en sí misma, olvidando quién fue su autor. Es muy fácil decirlo, pero resulta imposible realizarlo... su impronta humanísima sella y distingue al menos los más auténticos versos salidos de su pluma. Renunciemos, pues, a considerar la poesía de Cervantes olvidando quién fue el poeta. Ya vemos que es imposible, porque a cada paso nos encontramos al poeta entero o disuelto, corpóreo o impalpable, pero evidente, en la trama de sus versos. Y por fortuna, porque esta presencia voluntariosa

[11] No sólo "*Adán de los poetas* porque era uno de los más viejos y antiguos en el tiempo en que escribió su poema" (Rodríguez Marín), sino también, y ante todo, por primero de ellos.

[12] El lector de estas *Poesías completas* de Cervantes podrá comprobarlo en los lugares oportunos del texto, donde reproduzco la opinión del propio autor (junto a la de algunos de sus críticos). He hecho esto porque, como G. Diego: "Creo que sería en extremo curiosa una antología de los versos favoritos de Cervantes, según puede colegirse del grado de complacencia con que los aprueba o jalea, ya en primera, ya en tercera y enmascarada persona".

es la que salva en última instancia la obra versificada de Cervantes, de la que no se puede prescindir sin cercenar el alma del glorioso poeta mutilado.

Esto mismo había expresado ya Ricardo Rojas, en más breves términos:

> La pluma que escribió el *Quijote,* es la misma que escribió los versos, las comedias, los entremeses y las novelas.

Así es, en efecto. Lo que significa que a Cervantes el ser el autor del *Quijote* puede perjudicarle, de hecho le ha perjudicado, a la hora de juzgarlo como poeta. Pero, a la vez, es gracias al *Quijote,* y a sus demás obras maestras en prosa, como únicamente podemos percibir bien la grandeza de su labor en verso, ya que, aunque de modo relativamente apagado, la poesía cervantina posee las mismas cualidades esenciales de su prosa, y el brillo y el genio de ésta no dejan de traslucirse en el verso y de iluminarlo, haciéndonoslo ver como lo que realmente no podía menos de ser: un producto, bien que secundariamente logrado, del espíritu unitario de su autor. La poesía de Cervantes es, en efecto, suya, y con ello queda expresada la imposibilidad absoluta de que sea mediocre. Con ello también queda rebatida la insostenible opinión, harto reiterada, de que Cervantes como poeta careció de voz propia. [13]

[13] Tienen poco valor crítico los panegíricos de Navarro Ledesma, Adolfo de Castro, Cotarelo, o S. Montero Díaz. Otra cosa son los elogios de Cernuda: "No quiero decir que dude de que fuera poeta, porque no me cabe duda de que lo era, y de los más altos que tuvimos... Cervantes era mayor poeta en verso, no me cabe duda, de lo que sus contemporáneos creyeron y dijeron... Porque semeja que Cervantes era poeta más *original* y valioso de lo que se cree... el gran poeta que Cervantes era". Pero esto es excepcional, y aun el propio Cernuda, pese a todo lo dicho, y a añadir todavía: "Aunque tan varia y rica sea la poesía española, ¿puede prescindirse en ella de las diferencias que le aporta el verso de Cervantes?", concluye, bien que involucrando al mismo Lope en su audaz opinión: "Cierto que Cervantes, como versificador, no pudo decirse que añadiera nada esencial al verso, en la historia de nuestra poesía.

Cierto que en la poesía cervantina es visible el influjo de Garcilaso, fray Luis, Herrera y otros autores de la época. Cierto asimismo que esta poesía aparece vaciada en los moldes retóricos del momento y que, en su técnica, no tiene apenas nada —como no sea la torpeza misma con que la maneja— que la distinga claramente de la de sus inmediatos antecesores y contemporáneos. Los propios puntos de vista que Cervantes tenía de la Poesía, y que dejó expresados en diversos lugares de su obra,[14] son, en general, los que corrían como moneda usual entre los preceptistas de su tiempo. Pero la voz propia, la personalidad de un poeta suele encontrarse más allá, o por bajo, de esas coincidencias

---

Mas, bien pesada la cuestión, ¿es que pudiera decirse de Lope que sí añadió algo esencial a nuestro verso, algo no existente antes de él? Con no poco temor nos atreveremos a insinuar que, aunque la desaparición supuesta de la obra lírica de Lope sería pérdida enorme para nuestra literatura, esa desaparición, ¿alteraría en algo la trayectoria de nuestra lírica?" Respecto de la originalidad de Cervantes, la "voz velada" que le concede A. Zamora Vicente (en la *Epístola a Mateo Vázquez*), o la "media voz", según Blecua, para quien en definitiva Cervantes no tiene "un estilo personal", dicen muy poco. Lo común es negarle personalidad y, por lo mismo, jerarquía poética. Así, Luis Rosales habla de su "voz poética despersonalizada". Según Schevill-Bonilla, Cervantes "imita en la técnica, en las rimas y hasta en los pensamientos" a sus contemporáneos Juan de la Cueva, Laínez, Figueroa, Padilla, etc. Para Blecua, no es Herrera, Figueroa o Lope. Rodríguez Marín y Schevill-Bonilla lo ponen por bajo de los Argensolas. Gerardo Diego se pregunta: "Si únicamente se hubiesen conservado el *Viaje* y las poesías sueltas, ¿se le estimaría más que a un Liñán de Riaza o, por seguir los ejemplos de Menéndez y Pelayo, que a un Pedro de Padilla o a un Francisco de Figueroa?". La opinión media viene a ser, en efecto, la de Menéndez Pelayo ("Cultura literaria de Cervantes"): "Los buenos trozos del *Viaje del Parnaso*, la elegancia de algunas canciones de la *Galatea*, la valiente y patriótica *Epístola a Mateo Vázquez*, el primor incontestable de algún soneto, no bastarían para que su nombre sonase más alto que el de Francisco de Figueroa, Pedro de Padilla y otros poetas líricos enteramente olvidados ya, aunque en su tiempo tuvieran justa fama".

[14] La definición más extensa de lo que sea poesía se halla en el *Quijote*, II, XVI. Debe verse también *La Gitanilla*, *El licenciado Vidriera*, el *Viaje del Parnaso* (sobre todo el cap. IV), la *Adjunta al Parnaso* y el *Persiles*, I, XVIII; III, II; y III, XIV, como textos más importantes. El lector puede hallarlos en las págs. 192-205 de este tomo.

externas con el gusto comunal de su época. Ya en *La Galatea* puntualizó

> que no está en la elegancia
> y modo de decir el fundamento
> y principal sustancia
> del verdadero cuento,
> que en la pura verdad tiene su asiento.

Y en el *Quijote* (II, XVI), al dar por boca de su protagonista una definición de la Poesía, la resumió con admirable concisión así: "la pluma es lengua del alma". A lo que añade: "cuales fueren los conceptos que en ella se engendraren, tales serán sus escritos".

Técnicamente considerados, los escritos en verso de Cervantes suele decirse que adolecen de numerosos y graves defectos: así, pobreza de rima,[15] falta de suavidad, uso frecuente de epítetos y frases hechas,[16] exceso de retórica.[17] Todo lo cual, que sería sobrado para juzgarlo cuando menos mal versificador, se une, en general, a la carencia de temblor y de fuego lírico, indispensables en el poeta verdadero.

[15] F. A. de Icaza tacha de "injusta vulgaridad" la de Bonilla al sostener "la supuesta inopia de rima de Cervantes".

[16] "Abundan en la poesía cervantina las frases hechas", afirman Schevill-Bonilla, que aún añaden: "Las imágenes, por lo general, son frías y rebuscadas (salvo alguna que otra de feliz ideación), y los conceptos, no muy profundos. Fáltanle soltura, fluidez, *dominio* del verso, en una palabra".

[17] "El poeta lírico que no se encuentra demasiado seguro de sí, suele acumular dificultades técnicas para librar en ellas su ventura. El Cervantes de la primera época —el Cervantes de *La Galatea* y del *Persiles*— recurre continua y esforzadamente a toda clase de artificios técnicos y manierismos. Y ya se sabe: a mayor artificio, más frigidez." L. Rosales. Por mucha retórica que pueda haber a veces en el Cervantes primerizo, lo que le define al cabo es justamente lo contrario: "lo que importa, en todo caso, es el acento personal singularísimo, el grano de rebeldía, de inexactitud, el esguince de humor y, más que nada, la ausencia de apresto limado y lamido en la expresión retórica y rítmica, tan irreductible a cualquier escuela de decoro o figuración estereotipada. Cervantes es, en este sentido, todo lo contrario de un Herrera, no sólo por imperfección, sino por profunda libertad". G. Diego. Ver más adelante, nota 22.

¿Fueron todas estas causas las que le valieron la condena de sus coetáneos? Repasemos el asunto. Cuando Lope sentencia que de los muchos poetas del momento "ninguno hay tan malo como Cervantes, ni tan necio que alabe a *Don Quijote*", la injusticia y la ceguera son tan manifiestas que el juicio, si eso es juzgar, no merece ser tenido en cuenta. Lope rectificó más tarde, refiriéndose así a Cervantes, en el *Laurel de Apolo* (1630):

> ... en versos de diamantes
> los de plomo volvió con tanta gloria,
> que por dulces, sonoros y elegantes
> dieron eternidad a su memoria.

Es un elogio estereotipado y nada crítico, del que no debe hacerse más caso que de la diatriba anterior. La despectiva alusión de Villegas:

> Irás del Helicón a la conquista
> mejor que el mal poeta de Cervantes,
> donde no le valdrá ser quijotista

muestra, como la de Lope, que el éxito del *Quijote* escocía a sus contemporáneos,[18] reacios a conceder a su autor, junto a su superioridad en la prosa, un puesto distinguido en el verso. "Poeta infecundo, quanto felicissimo prozista" le llamó Melo.[19] Por despecho puede explicarse también, al menos en parte, que Pedro de Espinosa, al sacar en 1605 —año de publicación del *Quijote*— y en Valladolid, donde entonces residía Cervantes, sus *Flores de poetas ilustres* no incluyera ni una sola composición suya. No olvidemos que Menéndez Pelayo tampoco acogió ninguna en *Las cien mejores poesías de la lengua castellana,* a pesar de haber escrito

[18] A Villegas, tan vanidoso y ególatra, le escocía además, como observa N. Alonso Cortés, en su edición de las *Eróticas,* que Cervantes no le mencionase para nada en el *Viaje del Parnaso.*

[19] "Hospital das Letras", en *Apologos dialogaes.*

que "se ha dejado en el olvido sus versos, dignos por cierto de mejor gloria... Sin embargo, la posteridad, justa e imparcial, debe asignar a Cervantes un puesto entre los buenos poetas líricos y dramáticos de su siglo".

La exclusión por parte de Menéndez Pelayo es tanto más injustificada cuanto que reconoce a Cervantes como poeta "lírico". Tiene razón Cernuda al advertir que es el prejuicio de lo "lírico", concebido con estrecho criterio, lo que explica la ausencia o la escasa representación de grandes poetas —Calderón, por ejemplo— en muchas antologías.[20] De Cervantes, lo mejor no son sus *Poesías sueltas* sino las composiciones insertas en sus novelas y, sobre todo, en algunas de sus comedias. Cervantes fue escasamente lo que suele llamarse poeta "lírico", y esta es una explicación más del disfavor con que se le ha venido tratando. Como observa inteligentemente Cernuda:

> De ambas indicaciones, que su poesía es personal, pero no demasiado personal, deducimos que el lirismo cervantino resulta más efectivo cuando anima conflictos ajenos que también viven dentro de él o cuando los suscita en otros como dramaturgo y les ayuda a expresarse como poeta.
>
> El soneto de que tan ufano estaba Cervantes nos habla de otra cualidad suya: lo que en él se destaca no es tanto la retórica de la composición, sino su humanidad, la realidad ahí encerrada de una persona a quien el poeta da voz: el valentón que se declara al fin del soneto. Cosa sintomática en el novelista que Cervantes era fundamentalmente, y nos hace ver, oír, percibir la presencia de un ser humano. Cualidad propia, a su ma-

[20] Menéndez Pelayo no tiene ni siquiera esa excusa, ya que en la Advertencia preliminar a su antología, aclaró: "Aunque se titulan *líricos* los poemas de esta colección, no ha de entenderse esta palabra en sentido tan riguroso que excluya algunas narraciones poéticas breves en que se entremezcla lo épico con lo lírico". La pura verdad es que Menéndez Pelayo emitió sobre Cervantes poeta juicios contradictorios, elogiándolo con esa insincera benevolencia sin distingos, típica de buena parte de la crítica decimonónica y cuyo máximo representante fue el diplomático y alegre don Juan Valera, censurado en este punto con toda justicia por Ortega.

nera de novelista, de lo que en la poesía moderna equivale al monólogo dramático de Browning, tipo de poema éste que tiene una descendencia larga e ilustre. Hasta en una poesía tan poco dada a la intromisión de anécdota o de psicología, como la francesa, tiene ejemplos; porque, ¿qué son la "Herodiade" o "L'Après-Midi d'un Faune", sino monólogos dramáticos? Pues algo incipiente de dicha forma poética aparece ya en Cervantes.

Por su condición primaria de novelista fue Cervantes también en verso, con palabras de Gerardo Diego, "un gran poeta de lo exterior, un paisajista, un marinista..., un maravilloso retratista, un humorista genial".

De las opiniones negativas de Suárez de Figueroa, Espinel y Gracián, hay que decir que la malevolencia de estos autores les llevaba a una actitud desfavorable, que ejercieron con Cervantes como con tantos otros. No pretendo anular el hecho de que como poeta Cervantes fue poco apreciado en su tiempo, pero sí limitar el alcance de esta subestima. Que Cervantes no pasaba por poeta anodino y sin personalidad notable, parece mostrarlo la declaración de un tal Amaro Benítez, quien manifestó haber oído a Luis de Vargas el siguiente comentario sobre los libelos escritos por Lope contra los parientes de Elena Osorio:

> Este romance es del estilo de cuatro o cinco que solos lo podrán hacer: que podrá ser de Liñán, y no está aquí, y de Cervantes, y no está aquí; pues mío no es, puede ser de Vivar o de Lope de Vega.

Al parecer, los contemporáneos de Cervantes estaban dispuestos a conceder, en último extremo, su maestría y genio personal en el manejo del romance festivo o satírico, ya que no en la poesía seria y más encumbrada. Es lo que siguen haciendo muchos críticos actuales, y no sólo con su poesía sino también con su teatro, del que casi únicamente admiten la excelencia de los *Entremeses.* Pero si Cervantes fuese simplemente un admirable poeta festivo —o, además, un afortunado recreador de la lírica de tipo tradicional: romances, letrillas, canciones—, tendría razón Gerardo Diego para preguntarse si "¿fue realmente Cervantes un poeta, lo que en serio y de verdad llamamos hoy un poeta?". Porque —continúa—

> es evidente que la poesía más auténtica, central, espiritual, esencial, no es, no puede ser, la humorística, la de la burlesca caricatura... No, el "Voto a Dios que me espanta esta grandeza", como la "Cena jocosa" o como la "Gatomaquia", no pueden ser puestos en línea con la "Noche serena", con el "Cántico espiritual" o con las coplas de Jorge Manrique.

En efecto, el soneto al túmulo de Felipe II en Sevilla, por excepción tan alabado, no pasa de ser una piececilla ingeniosa, muestra afortunada de un estimable "poeta menor".[21] Y Cervantes fue ante todo "poeta mayor", cualquiera que sea la jerarquía que entre los poetas mayores, esto es, auténticos, le corresponda. Dada su calidad de humorista impar en la prosa, era natural que la poesía burlesca le naciese espontáneamente. El hábil manejo que hizo del romance y de los metros cortos de la lírica de cancionero demuestran que su "torpeza" en el cultivo de otras métricas no provenía de ninguna forzosa falta de facilidad para expresarse en verso. De hecho, Cervantes utilizó el endecasílabo, en toda clase de combinaciones estróficas —tercetos, cuartetos, sextinas, octavas—, con soltura en nada inferior a la de los máximos poetas del siglo de oro.[22] Y, sin

[21] Cernuda se pregunta si es éste el mejor soneto de Cervantes. Sobre la estimación que realmente le merecía a su autor, ver G. Diego.

[22] "De Cervantes puede afirmarse, por lo pronto, que maneja ambas formas de verso, lírico y dramático, con no inferior destreza ni menor saber técnico que aquellos con que los maneja, digamos, un Lope, a pesar de que éste cuenta como exponente máximo en habilidad versificadora... A veces, en algunos de sus sonetos, el giro de la palabra nos lo emparenta ya con los sonetos de Góngora y de Quevedo (los más ilustres sonetistas en nuestra lengua), hay en él ahí un artificio que lo acerca a los culteranos y conceptistas de más tarde, sin que el artificio retórico (que no nos parece mal, claro) le aparte de-

embargo, es verdad que el verso perfecto, el que se alza señero, sin falla en la dicción, de cuño plenamente feliz, es menos frecuente en Cervantes que en otros autores.[23] Gerardo Diego atina al puntualizar que "no fue poeta que al hacer de sus versos sude e hipe, sino de los de vena abundante y rica, aunque ciertamente con sombra y aun sombras de imperfecta". Su "torpeza" como versificador no es la de tipo común, sino un rasgo *sui generis,* distintivo, complejo y difícil de definir.

Cervantes resulta de este modo un poeta incómodo, que trasmite al lector como la sensación del esfuerzo que parece haber experimentado el propio autor para plasmar sus versos. Particularmente después del pulimento y ajuste que dieron a la lengua poética española las innovaciones técnicas de Lope y de Góngora, la expresión lírica de Cervantes se nos antoja inevitablemente algo tosca, a la vez que superada. Publicando arrogantemente sus defectos, alardeando de ellos, escribe:

> Vayan, pues, los leyentes con letura
> —cual dice el vulgo mal limado y bronco—
> que yo soy un poeta desta hechura,

---

masiado de otros poetas del tiempo que escribieron sonetos tan puros y transparentes, que son una delicia rara." L. Cernuda. Es justa la observación de G. Diego acerca de la "afición al estrambote" en Cervantes, "verdadera tangente por la que se escapa de la jaula sonetil". Desde otro punto de vista, Díaz-Plaja dice de sus sonetos: "En ellos Cervantes puede ampliar su contenido espiritual, ya que el soneto se presta al soliloquio filosófico".

[23] G. Diego se excede al afirmar que "en Cervantes el verso bueno es excepcional, lo contrario que en todo auténtico poeta, en que el excepcional es el malo". En este punto me siento más de acuerdo con Cernuda, cuando dice de Lope "que su obra lírica sufre de una terrible dilución, acaso a fuerza de facilidad y habilidad versificadoras, y que, a pesar de tantos pasajes deliciosos como en su obra ocurren, hay también una evidente falta de intensidad expresiva hasta en sus composiciones mejores. Recuérdese que eso aparece no sólo en la mayoría de ellas sino hasta en las que se estiman como más excelentes y ejemplares del genio poético de Lope, como en la 'Canción a la muerte de Carlos Félix' ".

cisne en las canas, y en la voz un ronco
y negro cuervo, sin que el tiempo pueda
desbastar de mi ingenio el duro tronco.
(*Viaje,* I, 100-105)

Y todavía:

Yo, socarrón; yo, poetón ya viejo...
(VIII, 409)

Este fue sin duda otro de los motivos por los que sus contemporáneos no acabaron de tenerle por buen poeta.

Como dice Gerardo Diego, exagerando algo la nota, Cervantes es "un poeta muy siglo XVI, muy 1560", un poeta "de la época de Felipe II, y, dentro de su largo reinado, de la primera parte, entre San Quintín y Lepanto". Aunque Blecua quiere distinguir en la poesía cervantina tres épocas, las diferencias en el tiempo son mínimas. Cervantes evoluciona poco de principio a fin de su carrera, aunque se dé cuenta de lo mucho y rápidamente que la poesía española ha cambiado a lo largo de los años que separan *La Galatea* del *Persiles.*[24] Blecua mismo señala que "Cervantes no es un lírico con las mismas inquietudes que asedian la poesía de otros escritores de su tiempo" —entiéndase, sobre todo, de los escritores barrocos. De igual modo, Gerardo Diego observa que Cervantes

[24] "...la poesía cervantina, dentro de la cual yo me atrevería a señalar dos épocas o tres: la primera, hasta 1585, aparición de *La Galatea,* con marcadas influencias de Garcilaso, Herrera y fray Luis; la segunda, de 1585 a 1605, época en que se produce la innovación barroca, y la tercera, de 1605 a 1616". J. M. Blecua. De cualquier modo, G. Diego exagera el arcaísmo de Cervantes. Lo que, desde luego, puede afirmarse —y así lo hacen Menéndez Pelayo y Valbuena Prat— es que, en las últimas comedias la versificación es más flexible y segura que en las primeras. Y, a propósito de la posible evolución de Cervantes poeta, recordemos el error de Navarrete, quien suponía que si insertó menos poesías en el *Quijote* y las *Novelas ejemplares* que en *La Galatea,* fue porque Cervantes había cejado en su pasión juvenil por el verso, a causa de la mala recepción obtenida. No, los muchos versos de *La Galatea* se explican por su carácter de novela pastoril.

> es un poeta arcaico, retrasado, y ésta es una de las causas de su fracaso, fracaso ante los demás, ante la opinión de los doctos —oficiantes y lectores—, más que nunca esclavos de sus modas novedosas, y fracaso ante la poesía misma, que no tolera, sin grave expiación, estos pecados de retraso y anacronismo.

Es el mismo retraso y anacronismo que se da en su producción dramática, rebelde a los módulos del *Arte nuevo* de Lope. Pero ha habido grandes poetas que, como Cervantes, han permanecido esencialmente ajenos al yugo de la moda de su tiempo: así, Unamuno y Antonio Machado, ante la avasalladora corriente del Modernismo, sin que esta actitud represente ningún "fracaso ante la poesía misma". No hay duda de que Lope, Góngora y Quevedo enriquecieron el verso español, dotándolo de unos resortes instrumentales de definitiva eficacia. ¿Quiere esto decir que la poesía de esos autores sea, sin más, superior a la de Garcilaso, fray Luis, San Juan y, todavía más allá, Jorge Manrique? Cervantes no es, ni quiso ser, un virtuoso de la lírica barroca. Otras eran sus preocupaciones como poeta: las mismas esencialmente, y en cuanto el verso lo permitía, que las que tuvo como prosista. No pensemos, pues, que su poesía ganaría efectivamente si Cervantes, a la vista de las últimas direcciones del momento, la hubiese sometido a una exigente labor de lima o de lustre. Tampoco como prosista fue un autor esmerado, simétrico ni brillante. La poesía de Cervantes es como es, y no es susceptible de corrección, ni mejoraría corregida. La "torpeza", los "defectos" del verso cervantino son justamente sus virtudes distintivas, las cualidades inherentes al quehacer poético en que anduvo empeñado. Cervantes sólo podía mejorar su poesía abandonándola por la prosa, que era la única forma en que podía dar la medida cabal de su genio.

"Arrastrado por razones superiores de expresión de su pensamiento", como dice bien Gerardo Diego, y no por ninguna incapacidad primaria, Cervantes tendió a una poesía de preocupación metafísica y moral, que, como en el caso de Unamuno, no consentía la deleitación en la musicalidad y los valores meramente formales. Realmente, el verso le venía estrecho, no podía encajar en él la libertad de su espíritu, su dilatado genio universal. ¿Fue, por eso, mal poeta? Conforme: todo lo malo que podía ser..., siendo Cervantes.

El *Viaje del Parnaso*

La actividad creadora de Cervantes en los diez últimos años de su vida ostenta los rasgos desconcertantes de la intensidad y la dispersión, la paciencia y la impaciencia a un tiempo. Cuando tras el éxito del *Quijote* en 1605 hubiese sido esperable que concentrase todo su esfuerzo en la prosecución de la gran novela, Cervantes parece no tener prisa en darle cima, y no lo hará hasta 1615. Pero esta larga calma —asombrosa en un hombre ya en la vejez, y consciente de ella—, indicio de la milagrosa confianza que el autor deposita en su genio, se complica por el hecho de que entre ambas partes del *Quijote,* y como si a última hora quisiera resarcirse de sus veinte años anteriores de silencio y olvido, Cervantes se siente pródigamente tentado por las más diversas empresas.[25] Unas las acariciaría sólo en proyecto (por ejemplo, la continuación de *La Galatea*); otras las llevaría efectivamente a cabo. Entre ellas se encuentra, con el *Persiles,* el *Viaje del Parnaso.* No le basta con ser el autor del *Quijote*:

25 "Mucho prometo con fuerzas tan pocas como las mías; pero ¿quién pondrá riendas a los deseos?" (Prólogo a las *Novelas ejemplares*). "*Don Quijote de la Mancha* queda calzadas las espuelas en su segunda parte... Luego irá el gran *Persiles,* y luego *Las semanas del jardín,* y luego la segunda parte de la *Galatea,* si tanta carga pueden llevar mis ancianos hombros" (Dedicatoria de las *Comedias y Entremeses*). Me he ocupado con algún detalle de los últimos años de Cervantes en mi ensayo "Cronología y mérito del *Persiles*", en *Claves de literatura española,* I, Madrid, Guadarrama, 1971.

Yo estoy, cual decir suelen, puesto a pique
para dar a la estampa al gran Persiles,
con que mi nombre y obras multiplique.
(IV, 46-48)

Cervantes quiere dejar constancia de su capacidad para el cultivo de todos los géneros literarios, eternizarse como prosista y como poeta. En el cenit de su lúcida madurez mental, contempla retrospectiva y proféticamente su obra cumplida y por cumplir, la abarca con mirada global y la juzga de más valor que el que le han dado —o mejor, le han negado— sus contemporáneos. De *La Galatea* al *Persiles,* sobre todo cuanto ha escrito o está escribiendo derrama, con genial desenfado, paternales y conmovedores elogios. Del *Viaje* afirma la bondad, en versos como los siguientes:

Ármate de tus versos luego, y ponte
a punto de seguir este viaje
conmigo, y a la gran obra disponte.
(I, 232-234)

Tú que me escuchas, si el oído aplicas
al dulce cuento deste gran viaje,
cosas nuevas oirás, de gusto ricas.
(VIII, 145-147)

Podría pensarse que la vejez ofuscaba su juicio, si no fuera porque la segunda parte del *Quijote*, más meridiana aún que la primera, impide suponer tal descabello. El propio Cervantes se adelantó a su posible formulación, poniéndolo irónicamente en boca de un joven poeta excluido de los elogiados en el *Viaje*:

Que caducais, sin duda alguna, creo.
(VIII, 442)

Y en el prólogo a la segunda parte del *Quijote* se revolvió de nuevo contra la maligna especie de su senilidad: "hase de advertir que no se escribe con las canas, sino con el entendimiento, el cual suele mejorarse con los años".

La fecha de composición del *Viaje,* así como su considerable extensión, nos indican, sin más, la importancia que Cervantes concedía a esta obra suya, por lo común tan mal entendida. En efecto, dentro de la general subestima por la labor poética de Cervantes, el *Viaje* sale en particular mal librado, entre otras causas por ser la única obra que escribió enteramente en verso (aparte el verso dramático de sus *Comedias*). Los insertos en *La Galatea* o en el *Quijote* han sido objeto de juicios muy adversos, pero nunca tan negativos como el siguiente de Schevill y Bonilla, que puede servir de significativa muestra:

> Pero, si el punto de partida de Cervantes fue bien definido: la lucha de Apolo y su cohorte de buenos poetas, contra los malos cultivadores de la Poesía, el desarrollo y la conclusión distan mucho de corresponder al principio. Él quiso hacer (diríamos, empleando símiles más modernos) una combinación de la *Derrota de los pedantes* con el *Laurel de Apolo*; pero ni su genio era hondamente satírico, como el de Quevedo, ni su crítica literaria estaba bastante afinada para trazar las características de los personajes a quienes loa. De ahí la monotonía del relato (muy semejante a la del *Canto de Caliope*); de ahí la indecisión del plan; de ahí las *frases hechas* de sus elogios, y la falta de orden de sus enumeraciones, donde los nombres aparecen arrastrados muchas veces por la exigencia de la rima y no por el deliberado propósito del autor... Grandes y chicos, viejos y jóvenes, eclesiásticos y seglares, historiadores y jurisconsultos, médicos y gramáticos, guerreros y poetas, todos andan mezclados, como en ensalada, sin que alcancemos a comprender, en la mayoría de los casos, en qué consista el peculiar mérito de ninguno. Las excepciones son contadísimas: Góngora, Quevedo, los Argensolas, Vélez de Guevara, figuran, por ciertos conceptos, entre aquéllas; los demás poetas mencionados en el *Viaje,* tienen en los tercetos del poema la misma representación que la que ostentarían en una mera lista de

nombres propios.[26] Añádase a esto la poca maña del catalogador, el cual, careciendo de los recursos poéticos de un Lope, para dar variedad y encanto al inventario, recurre a la inaguantable repetición del pronombre demostrativo: en solas tres páginas... figura *21 veces* "este", como primera palabra para presentar a un nuevo soldado de la armada poética. Cervantes mismo debió de percatarse de lo deshilvanado de la traza: el Sueño se apodera de él (como, sin duda, de sus lectores) y le transporta a las fiestas de Nápoles. Desde allí, *sin saber cómo,* llega a Madrid, y el poema acaba sin que nos hayamos dado cuenta de su verdadera finalidad.

La verdadera finalidad del *Viaje* no fue, desde luego, la de duplicar el antiguo *Canto de Calíope.* Como apunta bien Blecua, "no se trata sólo de elogiar a los poetas contemporáneos, sino de algo mucho más hondo y serio".[27] El *Viaje* no es, según lo calificó Menéndez Pelayo, un "ingenioso, discreto y elegante poema *crítico*", si el término que subrayo se refiere a la crítica literaria. Es lugar común comparar el *Viaje* con el *Laurel de Apolo,* para dictaminar en seguida la superioridad de Lope.[28] Pero la obra de éste y la de Cervantes

26 ¿Puede creerse que sea casual el que los poetas mejores sean precisamente los caracterizados por Cervantes con crítica individualizadora? ¿No es esto, sin más, prueba de que los restantes elogios son deliberadamente convencionales? Con toda razón dice R. Rojas, a quien se debe el mejor estudio de conjunto del *Viaje,* que "no se comprende cómo la crítica tradicional ha podido creer que Cervantes juzgaba en serio a los poetas que nombra en todo el curso del poema". Es también interesante la introducción de Agustín del Campo a su ed. del *Viaje.*

27 "La poesía lírica de Cervantes."

28 Ya hemos visto que para Schevill-Bonilla, Cervantes carecía "de los recursos poéticos de un Lope". Por su parte, Rodríguez Marín escribe: "Y si al menos hubiera escrito su *Viaje* en sueltas y manejables silvas, como escribió Lope el *Laurel de Apolo*... Pero la dificultad versificatoria de Cervantes sube de punto en las largas tiradas de tercetos de su poema, donde atado por 'la trenza tercetil y sugestiva', como la llamé años ha, va diciendo a veces lo que no quisiera, obligado por la rima encadenada e inexorable". Sin embargo, Mérimée-Morley, en su *History of Spanish Literature,* ponen a ambos autores a un mismo nivel: "On the other hand, Cervantes's *Viaje del Parnaso* (1614) and Lope de Vega's *Laurel de Apolo* (1630) are

tienen muy poco que ver entre sí. La pura verdad es que las únicas obras con las que guarda estrecha relación el *Viaje* no son sino las restantes del propio Cervantes en sus años postreros —el *Quijote,* el *Persiles*—, y es en este contexto como hay que entenderlo.

Si el *Viaje* fuese meramente un poema crítico o didáctico, por más que la caracterización de los poetas incluidos en él, o las observaciones de arte poética, fuesen personales y agudas, distaría aún de ser una gran obra, poéticamente considerada. A lo sumo, hoy sería una pieza documental, de interés arqueológico. Cuesta, en efecto, algún trabajo imaginar qué finalidad importante pensaban cumplir autores de la talla de Lope y de Cervantes, en la plenitud de su genio, al componer un *Laurel de Apolo* y un *Viaje del Parnaso,* si sólo fuesen obras del tipo en que comúnmente se las encaja.

Por lo que respecta al *Viaje* podemos estar seguros de que se trata de algo más que de un pasatiempo o desahogo del anciano Cervantes, de una intrascendente "evasión". Pues si en parte es esto último, lo es porque la "evasión", como la "inverosimilitud", fueron anhelos centrales del espíritu cervantino. [29]

Según Rodríguez Marín, Cervantes concibió el *Viaje* como evasión, para celebrar, de paso, bondadosamente

---

disappointing, considering the subject-matter and the authors' names. These two poems are merely long, tiresome enumerations of contemporary poets who are lauded in conventional fashion, without aptness, accuracy or critical distinctions... But all in all, it is hard to find poetry as criticism in these mediocre poems". Y hay quien, como Valbuena Prat, parece preferir a Cervantes: "La crítica literaria a veces aguda —la alusión a la sátira de Quevedo, por ejemplo—, es en general de lugar común, pero más individualizadora que la precedente del mismo autor en el *Canto de Calíope* de *La Galatea,* y que la siguiente de Lope en el *Laurel de Apolo*". Todos estos juicios parten de una idea errónea de lo que Cervantes se propuso en su *Viaje.* De su versificación trataré enseguida.

[29] "El *Persiles*... nos garantiza que Cervantes quiso la inverosimilitud como tal inverosimilitud." Ortega, *Meditaciones del Quijote.*

a sus contemporáneos, y como remedio económico. Leyendo a Caporali,

> reavivárονsele a Cervantes las nunca dormidas memorias de la amada Italia. Él podría lisonjear sus recuerdos más queridos, del mejor tiempo de su vida, inventando y componiendo un poemita que, sin parecerse al perusino más que en el tema, le sirviese en cierto modo para salir de su patria, y, lo que era aún mejor, de sí mismo, y volver a Italia siquiera en melancólica figuración... De camino, también le serviría para celebrar a los poetas españoles de su tiempo, pagando en generosas alabanzas aun el desdén con que por los más conspicuos solía ser mirado. Y así nació la idea de este poemita, cuya dedicatoria, si el autor acertaba a dar con un Mecenas que, al menos, le hiciese la costa de la impresión, aliviaría, siquiera por unas semanas, su siempre estrechísima situación económica. Y poniendo manos a la labor, escribió su *Viaje del Parnaso.*

Ya hemos dicho que no era intención real de Cervantes la de hacer crítica literaria. Lo que no significa que en ocasiones no acertase en este sentido. Sin embargo, estaba convencido de haber embarcado en su *Viaje* a grandes y a chicos, sin distinguir su tamaño, y midiéndolos deliberadamente a todos por el común rasero del elogio estereotipado e igualitario, manifiestamente irónico. De ahí que por boca ajena se interpele humorísticamente a sí mismo, censurando su falta de discernimiento:

> —¡Oh tú —dijo—, traidor, que los poetas
> canonizaste de la larga lista,
> por causas y por vías indirectas!
>
> ¿Dónde tenías, magancés, la vista
> aguda de tu ingenio, que así ciego
> fuiste tan mentiroso coronista?
>
> (IV, 490-495)

Cervantes sabía que algunas ausencias y la burla de unos cuantos poetas ínfimos le salvaguardaban lo suficiente para que los incluidos y alabados se sintieran agradecidos al autor del *Viaje*. Tal es la vanidad del poeta, del hombre. De otro modo, su poema, en vez de granjearle amigos (que tanto le faltaban), como quizá se propuso secundariamente, hubiese surtido el efecto opuesto. El soneto de "El autor a su pluma" que encabeza el *Viaje* es clara muestra del aislamiento en que se hallaba, y que reitera así en el texto del poema:

> Por esto me congojo y me lastimo
> de verme solo en pie, sin que se aplique
> árbol que me conceda algún arrimo.
>
> (IV, 43-45)

Observemos que Cervantes elogió a sus colegas *por causas y por vías indirectas*. Como que, en efecto, la finalidad directa del *Viaje* —una de ellas— era la de legar a la posteridad una autobiografía reivindicadora. La única crítica literaria que en verdad hay en el poema es la relativa a su propia obra. Los únicos elogios sinceros, los que se dedica a sí mismo y a su solitaria y personal hazaña creadora. Esos pasajes no tienen sólo interés documental. Tienen la profunda dignidad, la noble emoción que les confiere el haber sido escritos con el sereno aunque amargo orgullo, con el íntimo tono confesional, más allá ahora de toda burla, de quien sabe bien quién es, lo que ha hecho, lo que se le debe, y necesita decirlo:

> Aquel que de poeta no se precia,
> ¿para qué escribe versos y los dice?
> ¿Por qué desdeña lo que más aprecia?
>
> Jamás me contenté ni satisfice
> de hipócritos melindres: llanamente
> quise alabanzas de lo que bien hice.
>
> (IV, 337-342)

Si ya había expresado esto, y seguiría haciéndolo, en prosa, el verso, y la fábula, le daban mayor libertad de movimientos, permitiéndole al paso ejercitarse en el género poético, aquel en que todos le negaban el pan y la sal, aun los que admitían su talento de narrador y de prosista. En su exaltación del yo, Cervantes es casi un poeta romántico. Y en este sentido es el *Viaje* obra de evasión:

> Adiós, hambre sotil de algún hidalgo;
> que por no verme ante tus puertas muerto,
> hoy de mi patria y de mí mismo salgo.
>
> (I, 130-132)

Sale de su patria en "viaje ideal"[30] de memoria y vuelta a la añorada Italia de su juventud, surcando en su imaginación el Mediterráneo azul y deslumbrante, pues uno de los encantos del *Viaje* —como del *Persiles*— es la presencia del mar, de su luz, de su movimiento, de su belleza. Se evade también de la realidad mediante la figuración de una mitografía. Sale, en fin, de sí mismo desdoblándose en otro, insertándose en ella como personaje a la par que autor, y pudiendo así a través suyo, o del dios Mercurio, echar fuera del pecho lo que llevaba encerrado en él, acongojándolo.[31]

Cumplida esta primera finalidad del *Viaje,* Cervantes la amplía hasta convertirlo en la epopeya burlesca de las ilusiones y vanidades del hombre, ejemplificadas en el ciego afán de gloria de los poetas. Si como obra ideal e imaginativa el *Viaje* es obra del mismo autor del *Persiles,* como sátira no desmiente la pluma que trazó el *Quijote.* Cervantes, aunque se sienta íntimamente

[30] Ver el ensayo de B. Croce citado en la Bibliografía.

[31] A juicio de L. Rosales: "No suele haber angustia en la obra cervantina. Ni falta que le hace. No precisa el mayor escritor del mundo que encendamos esa cerilla en su memoria. Castro tiene especial empeño en angustiar y 'existencializar' el pensamiento de Cervantes". Tal vez. Pero es mucho peor empeño el tratar de trivializarlo, convirtiéndolo en escritor "festivo". A quienes lo hacen habría que contestarles con las siguientes palabras del propio Cervantes: "Ese es un error donde han caído muchos aficionados ignorantes; yo, señor, soy Cervantes, pero no el regocijo de las Musas, ni ninguna de las demás baratijas que ha dicho" (Prólogo del *Persiles*).

incomprendido y solo, ha gustado ya las mieles del éxito, ha ganado nombre y fama. Si experimenta un legítimo orgullo de escritor, no por eso se juzga exento de la sátira, que alcanza a todos, y en particular a sí mismo, sobre quien, como humorista de pura cepa, dispara a veces los dardos más maliciosos y agudos. Si en el *Quijote* había sentado "que la épica también puede escrebirse en prosa como en verso", ahora lo hará en verso. Salvadas todas las diferencias, y aun reconociendo que tanto el *Viaje* como el mismo *Persiles* representan en algún sentido cierto retroceso artístico con respecto al *Quijote,* esto es, en suma, el *Viaje*: un pequeño *Quijote* en verso encaminado a hacer patente que el hombre suele juzgarse por encima de sus propios méritos, de qué modo le arrastra su quimérico concepto de sí mismo, hasta qué punto sus aspiraciones, deseos y sueños sobrepasan la posibilidad real que tiene de satisfacerlos. Tal es el último significado y alcance del *Viaje,* que no se reduce a ser una sátira de la vanagloria literaria, como el *Quijote* no se limita a consistir en una parodia de los libros de caballerías.

Hay otro nexo entre el *Quijote* y el *Viaje*: si aquél es la parodia del mundo caballeresco, éste lo es del mundo mitológico del clasicismo, del que tanto habían abusado los autores del Renacimiento. Por ser uno de los rasgos de más bulto del *Viaje,* no ha escapado a la crítica. Cervantes, nuevo Luciano, se regocija presentándonos unos dioses apeados de su majestuoso pedestal, trasmutados en seres corrientes y molientes, a más de anacrónicos, pues su atuendo, costumbres y lenguaje son los de los españoles vulgares de la época. Cervantes los pintó tan magistralmente en el *Viaje* como lo hiciera en sus obras en prosa. Si Don Quijote convierte las ventas en castillos y las aldeanas en princesas, Cervantes practica la metamorfosis opuesta: reduce las deidades olímpicas a estatura humana, sumiéndolas en el ambiente caricaturesco que constituye la atmósfera que baña la obra. El paralelo con Velázquez resulta obligado:

Y es de notar que, en el terreno literario, se permite Cervantes libertades análogas a las que Velázquez usó en pintura: Venus, con saya y verdugado, parécese al Marte con morrión del gran artista sevillano. En ambos casos hay briznas de ironía, que demuestran la transformación de los valores clásicos. [32]

¿A quién puede parecer floja una obra como el *Viaje,* tan radicalmente cervantina? ¿Cómo puede ser eso? En el mismo primer verso declara Cervantes que la idea de su poema la sacó del italiano Cesare Caporali, autor del *Viaggio in Parnaso* (1582), [33] en quien se inspiró también su compatriota Traiano Boccalino para sus *De 'Ragguagli di Parnaso* (1612-13). Ya en el prólogo a las *Novelas ejemplares* había indicado, con excesiva modestia, esta procedencia:

> Este digo que es el rostro del autor de *La Galatea* y de *Don Quijote de la Mancha,* y del que hizo el *Viaje del Parnaso,* a imitación del de César Caporal Perusino.

De Caporali tomó Cervantes la idea inicial y algunos detalles. A esto se redujo la imitación, como reconoce B. Croce:

[32] Rodríguez Marín califica de "dioses *alucinados* o *avelazcados*" los del *Viaje,* y compara estos "retratos" con los de *Rinconete y Cortadillo.* Pero no es cuestión de mera plasticidad, sino de crítica burlesca de una cultura, según vio Ortega: "Decir que no hay dioses es decir que las cosas no tienen, además de su constitución material, el aroma, el nimbo de una significación ideal, de un sentido. Es decir que la vida no tiene sentido, que las cosas carecen de conexión. Tiziano y Poussin son, cada cual a su modo, temperamentos religiosos, sienten lo que Goethe sentía: *devoción a la Naturaleza.* Velázquez es un gigante ateo, un colosal impío. Con su pincel arroja los dioses como a escobazos. En su bacanal no sólo no hay un Baco, sino que hay un sinvergüenza representando a Baco. Es nuestro pintor. Ha preparado el camino para nuestra edad, exenta de dioses; edad administrativa en que, en vez de Dionysos, hablamos del alcoholismo". "Tres cuadros del vino", en *El Espectador,* I.

[33] Cervantes se inspiró, más que en el *Viaggio,* en su apéndice, *Avvisi di Parnaso.* A su vez, el *Viaje* de Cervantes, muy leído en el siglo XVII, y reeditado ya en 1624, suscitó imitaciones como la de Salas Barbadillo, *Coronas del Parnaso y Platos de las Musas* (1635) y la de Jerónimo de Cáncer, *Vejamen* (¿1640?).

> Ma se dal componimento del Caporali il Cervantes tolse il modello e qualche particolare, nell'insieme egli fece opera assai diversa, così pel contenuto come per lo svolgimento. Ed anche per l'estensione; giacchè il poemeto del Cervantes, diviso en otto capitoli, è per lo meno sei volte più lungo dello scritto del suo predecessore italiano.

Fuera de Caporali cabe señalar fuentes o predecesores españoles del *Viaje del Parnaso*: desde Juan de la Cueva, con el *Viage de Sannio* (1585) y un par de romances del *Coro febeo* (1587),[34] por no citar precedentes más remotos, como el *Infierno de los enamorados* o *El Triunphete de Amor* de Santillana, hasta Gil Vicente (*Nao de amor*), Barahona de Soto, Pedro Rodríguez de Ardila y otros autores que pudieron sugerir a Cervantes algún que otro pormenor de su composición. Todo lo cual, por supuesto, no merma en un ápice la profunda originalidad de Cervantes, asimilador como nadie de materiales extraños.

¿Qué importa, junto a tantos logros, el que la versificación se resienta de todos los defectos de ejecución que Rodríguez Marín y demás críticos académicos le achacan con implacable minuciosidad y con rigor preceptista digno de mejor causa? Está muy lejos de ser cierto que la factura métrica del *Viaje* sea tan deficiente. Así lo reconoce, entre otros, Gerardo Diego.[35]

34 Uno de ellos el titulado "Cómo los poetas conquistaron el Parnaso y lo ganaron, y Apolo y las Musas huyeron dél".

35 "Achácanle algunos de sus comentaristas que el juego encadenado de los tercetos le arrastra, por virtud de la rima, adonde no quisiera. Me parece éste juicio en demasía severo... La mayor parte de las condenaciones, prohibiciones, escrúpulos, vigentes en el siglo de oro y aumentadas y agravadas en el XVIII y XIX antes del romanticismo, hoy nos son indiferentes. No las sentimos. En verdad, nos parecen fútiles y, en todo caso, desdeñables, aunque respondan a una verdad objetiva, cuando otros intereses supremos de la expresión espiritual nos ponen en trance de cometerlas. A esos diversos tipos de escrúpulos pertenecen los más de los versos tachados por los censores cervantinos". R. Rojas, aunque también académicamente severo en este punto, excusa "sus prosaísmos, propios del poema narrativo y burlesco". Otros juicios sobre la cuestión: "Cervantes maneja la *terza rima* con facilidad, y durante todo el

En cuanto al empleo mecánico del terceto, y la misma enfadosa repetición de procedimientos, que le reprochan Rodríguez Marín y Schevill-Bonilla, hay que dejar claro que lo que estos eruditos tienen por defecto es justamente uno de los hallazgos técnicos de Cervantes, que no han entendido. Aparte de que en "trenza tercetil y sugestiva" pueden escribirse obras como la *Divina Comedia,* si Cervantes "hubiera escrito su *Viaje* en sueltas y manejables silvas, como escribió Lope el *Laurel de Apolo*", no hubiese logrado probablemente el efecto perseguido. La silva, por su misma variedad y soltura, es más apta para la diferenciación individualizadora. Pero Cervantes se proponía lo contrario, como hemos visto: igualar a todos los poetas, nivelarlos, hacinarlos, reducirlos a común denominador. La monotonía inherente a la sarta de tercetos, así como el recurso del *éste* multiplicado, el desorden en las enumeraciones, las *frases hechas,* y otros rasgos semejantes, exteriorizan cabalmente la mediocridad general de los poetas elogiados. El terceto sin accidentes resulta la mejor traducción expresiva de la medianía de tales autores, en consonancia con el elogio convencional y mostrenco. Es éste un simple ejemplo más, entre tantos otros, de "error" gratuitamente achacado a Cervantes, pero sólo cometido en realidad por quienes no aciertan a comprender el "sutil designio" de quien se autocalificó con toda justicia de "raro inventor".

No es, por último, uno de los aspectos menos cervantinos del *Viaje* su personalísimo vocabulario, de tan

---

curso de su *Viaje* sigue la narración de los sucesos sin esfuerzo, sin embarazo, sin preocuparse en evitar esa no afectada negligencia que tiesos Aristarcos le han reprochado y que en nuestro sentir es el más seductor atractivo de sus escritos. Su musa, permítasenos decirlo, camina de pie, sencillamente vestida, con simple zagalejo y calzado liso, como la *Pierrette* de la fábula. Con ese sencillo y modesto traje, es a la vez ágil, suelta y familiar, sin afectación, sin pretensiones, cortés y burlona, franca y jocosa" (J. M. Gaudi, Prólogo a la traducción francesa del *Viaje,* París, 1864). "La versificación, en tercetos, hábil, de intermitente inspiración, es un alarde de virtuosismo a fuerza de trabajo, que ofrece auténticas bellezas". Valbuena Prat.

rico registro, tan pintoresco, tan humorístico en sí mismo, tan flexible en la modelación de términos derivados y neologismos. A pesar de todo lo cual, se sigue sosteniendo, de Quintana a Rodríguez Marín, la inepcia de que el *Viaje* hubiese ganado, de haber sido escrito en prosa, y prefiriéndole la *Adjunta,* apéndice por lo demás admirable.[36]

Con el *Viaje* ha pasado lo que con el *Quijote* a su aparición: que fue mejor entendido fuera que dentro de España. Parece como si el genio de Cervantes, en última instancia, no se aviniera bien con el gusto estético español, que suele apreciar sobre todo la externa retórica y no valora como debe el humor matizado y enjuto, la ironía desprovista de todo grueso aderezo. No es de extrañar por ello que si fue un inglés —el docto hispanista Fitzmaurice-Kelly— quien podría llevarse la palma del desacierto entre los críticos de Cervantes poeta,[37] haya sido un compatriota suyo, James J. Gibson, traductor del *Viaje,* el que hizo su elogio más inteligente cuando, tras comparar a Cervantes con Shakespeare, indicó que el *Viaje* debiera llamarse *La Cervantea* "por ser el viaje de Cervantes al Parnaso en

[36] "tengo para mí, y ya me refiero señaladamente al *Viaje del Parnaso,* que don Manuel José Quintana no se equivocó cuando tuvo por un grave mal 'el estar el *Viaje* escrito en verso y perder de este modo Cervantes todas sus ventajas'. La *Adjunta al Parnaso* —añade—, diálogo en prosa que le sirve de apéndice, se lee con más gusto que todo lo demás y manifiesta el verdadero modo de haber desempeñado el pensamiento con aprobación y aplauso universal'. Tiene razón Quintana". F. Rodríguez Marín, Discurso preliminar a su ed. del *Viaje.* Esta opinión, que es ya lugar común, sienta, según vemos, la superioridad de la *Adjunta* sobre el *Viaje* como caso particular de la superioridad genérica de la prosa de Cervantes sobre su verso.

[37] "El *Viaje* no es otra cosa que una lista rimada de los poetas contemporáneos..., el genio de Cervantes era más creador que crítico, y el verso no constituía buen medio de expresión para su discreta ironía" (*Historia de la literatura*). Cervantes, "con su acostumbrado buen juicio... reconoce ingenuamente que la naturaleza le había negado el don de la poesía" ("La obra de Cervantes"). "Cervantes writing verse is working with materials strange to him. Cervantes as a poet is Samson with his hair cut" (*Life of Cervantes*).

busca de su propio y legítimo lugar en la literatura de su país".

El *Viaje* es nada más y nada menos que el testamento poético de Cervantes, que lo escribió pensando

> cantar con voz tan entonada y viva,
> que piensen que soy cisne y que me muero.
>
> (IV, 564-565)

VICENTE GAOS

NOTICIA BIBLIOGRÁFICA

Viaje del Parnaso, Madrid, Viuda de Alonso Martín, 1614. Edición facsímil de la R.A.E., en *Obras completas de Miguel de Cervantes Saavedra,* Madrid, 1917-23 (tomo VI).

Viaje al Parnaso, Madrid, Antonio de Sancha, 1784 (con *La Numancia* y *El trato de Argel*).

Edición de Buenaventura Carlos Aribau, en *Obras de Miguel de Cervantes,* Madrid, Rivadeneyra, 1846 (B.A.E., t. I).

Edición de Cayetano Rosell, en *Obras completas de Cervantes,* Madrid, Rivadeneyra, 1864 (t. VIII). (Con *Notas* de Cayetano Alberto de La Barrera, en el t. XII).

Edición de J. M. Guardia, París, Jules Gay, Éditeur, 1864 (en francés).

Edición de James Y. Gibson, London, Kegan Paul, Trench and Co., 1883 (en inglés).

Edición de J. Givanel Mas, en *Obras menores de Cervantes,* t. II, Barcelona, Antonio López, Editor, [1905] (Colección Diamante, 95).

Edición de Ricardo Rojas, en *Poesías de Cervantes,* Buenos Aires, Imprenta y Casa Editora de Coni Hermanos, 1916. (Editada bajo los auspicios de la Universidad Nacional de La Plata.)

Edición de Rodolfo Schevill y Adolfo Bonilla, en *Obras completas de Miguel de Cervantes Saavedra,* Madrid, Gráficas Reunidas, 1922.

Edición de J(osé) T(oribio) Medina, Santiago de Chile, Imprenta Universitaria, 1925.

Edición de Francisco Rodríguez Marín, Madrid, C. Bermejo, Impresor, 1935.

Edición de Ángel Valbuena Prat, en *Obras completas de Miguel de Cervantes Saavedra,* Madrid, Imprenta Bolaños y Aguilar, 1943.

Edición de Agustín del Campo, Madrid, Ediciones Castilla, 1948 (Clásicos Castilla, 1).

BIBLIOGRAFÍA SELECTA SOBRE LA POESÍA DE CERVANTES Y EL *VIAJE DEL PARNASO*

Alborg, Juan Luis. "La poesía de Cervantes", en *Cervantes,* Madrid, Gredos, 1966.

Blecua, José Manuel. "Garcilaso y Cervantes", en *Homenaje a Cervantes.* "Cuadernos de Ínsula", I, Madrid, 1947.

Castro, Adolfo de. "Varias observaciones sobre algunas particularidades de la poesía española", Introducción al t. XLII de la B.A.E., II: "Cervantes, ¿fue o no poeta?".

Castro, Américo. *El pensamiento de Cervantes,* Madrid, Centro de Estudios Históricos, 1925; nueva ed. ampliada, Barcelona, Noguer, 1972.

Cernuda, Luis. "Cervantes, poeta", en *Poesía y literatura,* II, Barcelona, Seix Barral, 1964.

Claube, J. M. [J. M. Blecua]. "La poesía lírica de Cervantes", en *Homenaje a Cervantes,* "Cuadernos de Ínsula", I, Madrid, 1947.

Correa, Gustavo. "La dimensión mitológica del *Viaje del Parnaso* de Cervantes", *Comparative Literature,* XII, 1960.

Croce, Benedetto. "Due illustrazioni al *Viaje del Parnaso* del Cervantes", en *Homenaje a Menéndez Pelayo,* I, Madrid, 1899 (y en *Saggi sulla Letteratura Italiana del Seicento,* Bari, 1911).

Díaz-Plaja, Guillermo. *La poesía lírica española,* Barcelona, Labor, 1937.

Diego, Gerardo. "Cervantes y la poesía", *Revista de Filología española,* XXXII, 1948.

Fucilla, Joseph G. "Cervantes", en *Estudios sobre el petrarquismo en España,* Madrid, C.S.I.C., 1960.

Gaos, Vicente. "Cervantes, poeta", en *Claves de literatura española,* I, Madrid, Guadarrama, 1971.

González Ollé, Fernando. "Observaciones filológicas al texto del *Viaje del Parnaso*", *Miscellanea di Studi Ispanici,* n.º 6, 1963.

Henríquez Ureña, Pedro. *La versificación irregular en la poesía castellana,* Madrid, Centro de Estudios Históricos, 2.ª ed., 1933.

Icaza, Francisco A. de. "Una injusta vulgaridad: Algo sobre los versos de Cervantes" y "Los últimos errores: La lírica de Cervantes y la otra aventura póstuma del señor Bonilla y San Martín", en *Supercherías y errores cervantinos,* Madrid, Renacimiento, 1917.

Karl, L. "Cervantes als Dichter", *Zeitschrift fur romanische Philologie,* XLVIII, 1928.

Leavitt, Sturgis E. "Cervantes and Heroic Verse", *Hispanic Review,* XV, 1947.

Menéndez Pelayo, Marcelino. "Cervantes considerado como poeta", en *Estudios y discursos de crítica literaria,* I, Madrid, C.S.I.C., 1941.

Pierce, Frank. *La poesía épica del siglo de oro,* Madrid, Gredos, 2.ª ed., 1968.

Ras, Matilde. "Cervantes, ¿fue, o no fue, auténtico poeta?", *ABC,* Madrid, 24 de abril de 1966.

Riquer, Martín de. "El *Viaje del Parnaso.* Cervantes poeta", en *Aproximación al Quijote,* Barcelona, Teide, 2.ª ed., 1967.

Rivers, E. L. "Cervantes' Journey to Parnassus", *Modern Language Notes,* LXXXV, 1970.

Rojas, Ricardo. *Cervantes* (Cervantes, poeta lírico. Cervantes, poeta dramático. Cervantes, poeta épico), Buenos Aires, Losada, 1948.

Romera Navarro, Manuel. "El golfo de Narbona y la isla infame en el *Viaje del Parnaso* de Cervantes", *Hispanic Review,* V, 1937.

Schevill, R. "Laínez, Figueroa and Cervantes", en *Homenaje a Menéndez Pidal,* I, Madrid, 1925.

Silvela, Eugenio. *Cervantes, poeta,* Madrid, Imprenta de la Revista de Legislación, 1905. (Con un *Florilegio* de sus poesías).

Vidart, Luis. "Cervantes, poeta épico", *La Ilustración Española y Americana,* XXI, 2.º, 1877, y Madrid, Aribau y Cía., 1877.

NOTA PREVIA

EL texto del *Viaje del Parnaso* que ofrezco al lector es fiel reproducción del de la edición príncipe (Madrid, Viuda de Alonso Martín, 1614). Cuando me aparto de ella, para corregir erratas, o por algún otro motivo, lo consigno en nota. También anoto las lecciones discrepantes de las principales ediciones modernas del *Viaje,* de las cuales la mejor es la de Rodríguez Marín (que abrevio *R. M.*). La de Schevill-Bonilla (abreviada en *Bonilla*: R. M. afirma que Schevill no colaboró en ella) es la más floja del conjunto de *Obras completas* de Cervantes publicada por dichos editores. Modernizo ortografía y puntuación según las normas habituales.

En las referencias bibliográficas, cuando cito el nombre de un autor, sin más, me refiero a la obra del mismo incluida en la *Noticia bibliográfica* o la *Bibliografía selecta* que acompañan esta edición.

V. G.

TABLA DE VOCES

PARA evitar la repetición y el aumento innecesario de notas al pie de página, se da aquí una lista de ciertas palabras y locuciones que aparecen continuamente en la obra poética de Cervantes. La mayoría tienen siempre, o con frecuencia, un sentido distinto del actual, que el lector deberá tener presente en todo momento, pues, en general, no se llamará la atención sobre ellas en el texto.

a: se omite a menudo ante complemento directo de persona.
acaso: casualmente.
a deshora: intempestivamente, súbitamente, de improviso.
a (o *por*) *dicha*: por ventura, casualmente.
algún (antepuesto): ningún.
antes: antes bien.
antes que: antes de que.
conocer: reconocer.
contin(u)o: continuamente.
cuento: relato.
curar: cuidar.
de: como agente de la voz pasiva, en lugar de *por*.
deber y *deber de*: se usan indistintamente.
de industria: adrede.
donde: se refiere lo mismo a tiempo que a lugar.
espacio: rato.
los (las) más: la mayoría.

luego: en seguida.
más de: suele usarse por *más que*.
mirar en: reparar en.
naturalmente: por naturaleza.
no: redundante con algunos verbos.
otro día: al otro día, al día siguiente.
parecer y *parecerse*: aparecer; ver, verse.
pieza: se refiere a tiempo: "rato", y a lugar: "trecho".
puesto que: aunque.
que: redundante en ciertas frases.
quien: se refiere indistintamente a personas y a cosas, en singular y en plural.
salir con: lograr.
ser: por *haber*, como verbo auxiliar (*son idos*: se han ido).
suceso: éxito, resultado.
tal vez: alguna vez, a veces.
talle: aspecto.
tamaño (*tam magnus*): tan grande.
venir: suele usarse por "ir", "llegar".
venir en: convenir.
volver: devolver.
volver por: salir en defensa de.

Tampoco se llamará la atención, por lo general, en las notas al texto, sobre aquellas palabras que el lector puede entender sin esfuerzo, aunque su forma difiera de la actual. Por ejemplo:

Arcaísmos como *agora, ansi, do, fee, felice...*
Grafías propias de la vacilación vocálica subsistente en la época de Cervantes: *escrebir, recebir, monesterio, mesmo, lición...*
Formas latinas: *proprio, summo, reprehender, respecto, invidia...*
Metátesis: *hacelde, miralde, imaginaldo, veldo...*
Formas con asimilación: *escribille, sufrillo, decilla...*
Formas populares: *coluna, dino, acetar, efeto, conceto...*
Formas verbales arcaicas o populares: *válame, vee, vía, vido, cayo, oyo, trujo...*
Etc.

En cuanto a las notas al texto, he procurado hacerlas sucintas, pero las he prodigado, prefiriendo pecar antes por carta de más que de menos. Las de tipo más elemental las he escrito pensando sobre todo en los estudiosos de Cervantes cuya lengua materna no es la española y, así, podrían encontrar en ella alguna dificultad, que me he anticipado, quizá innecesariamente, a allanarles.

VIAGE DEL PARNASO, COMPVESTO POR Miguel de Ceruantes Saauedra.

Dirigido a don Rodrigo de Tapia, Cauallero del Habito de Santiago, hijo del señor Pedro de Tapia Oydor de Consejo Real, y Consultor del Santo Oficio de la Inquisicion Suprema.

Año  1614.

CON PRIVILEGIO

EN MADRID,
Por la viuda de Alonso Martin.

DEDICATORIA

A D. RODRIGO DE TAPIA, CABALLERO DEL HÁBITO DE SANTIAGO, HIJO DEL SEÑOR D. PEDRO DE TAPIA, OIDOR DEL CONSEJO REAL Y CONSULTOR DEL SANTO OFICIO DE LA INQUISICIÓN SUPREMA.

Dirijo a vuesa merced este *Viaje* que hice al *Parnaso,* que no desdice a su edad florida, ni a sus loables y estudiosos ejercicios. Si vuesa merced le hace el acogimiento que yo espero de su condición ilustre, él quedará famoso en el mundo y mis deseos premiados. Nuestro Señor, etc.

MIGUEL DE CERVANTES SAAVEDRA.

PRÓLOGO

Si por ventura, lector curioso, eres poeta y llegare a tus manos (aunque pecadoras) este VIAJE; si te hallares en él escrito y notado entre los buenos poetas, da gracias a Apolo por la merced que te hizo; y si no te hallares, también se las puedes dar. Y Dios te guarde.

D. AUGUSTINI DE CASANATE ROSAS

EPIGRAMMA

Excute cæruleum, proles Saturnia, tergum,
verbera quadrigææ sentiat alma Tethys.
Agmen Apollineum, nova sacri injuria ponti,
carmineis ratibus per freta tendit iter.
Proteus æquoreas pecudes, modulamina Triton,
monstra cavos latices obstupefacta sinunt.
At caveas tantæ torquent quææ mollis habenas,
carmina si excipias nulla tridentis opes.
Hesperiis Michaël claros conduxit ab oris
in pelagus vates. Delphica castra petit.
Imò age, pone metus, mediis subsiste carinis,
Parnassi in litus vela secunda gere.

EL AUTOR A SU PLUMA *

SONETO

Pues véis que no me han dado algún soneto
que ilustre deste libro la portada,
venid vos, pluma mía mal cortada,
y hacedle, aunque carezca de discreto.
Haréis que excuse el temerario aprieto 5
de andar de una en otra encrucijada,
mendigando alabanzas, excusada

* Este soneto falta en la mayoría de los ejemplares de la ed. pr. del *Viaje*. Para los motivos de tal omisión, ver R.M., XX-XXII.

4 Según R.M., *aunque carezca de discreto* es probable errata por *aunque carezca del discreto*, italianismo usado a veces por Cervantes. Sobre los italianismos del *Viaje*, ver R.M., XLIV-LX.

6 "los versos sexto y octavo distan mucho de ser buenos." R.M. Sobre los defectos de versificación del *Viaje*, ver R.M., XXV-XLIII.

fatiga e impertinente, yo os prometo.
Todo soneto y rima allá se avenga,
y adonde los umbrales de los buenos, 10
aunque la adulación es de ruin casta.
Y dadme vos que este *Viaje* tenga
de sal un panecillo por lo menos,
que yo os le marco por vendible, y basta.

8 *prometo*: aseguro.
13 *panecillo*: molde.

CAPÍTULO I

Un quídam Caporal italïano,
de patria perusino, a lo que entiendo,
de ingenio griego y de valor romano,
llevado de un capricho reverendo,
le vino en voluntad de ir a Parnaso, 5
por huir de la corte el vario estruendo.
Solo y a pie partióse, y paso a paso
llegó donde compró una mula antigua,
de color parda y tartamudo paso.
Nunca a medroso pareció estantigua 10
mayor, ni menos buena para carga,
grande en los huesos, y en la fuerza exigua,
corta de vista, aunque de cola larga,
estrecha en los ijares, y en el cuero
más dura que lo son los de una adarga. 15
Era de ingenio cabalmente entero;

1 Sobre *Caporal,* ver Introducción, p. 33. Según R.M., *Un quídam,* por *Un cierto,* es quizá reminiscencia del latín evangélico y medieval. Por ej.: "Homo quidam erat dives..." (Lucas, XVI, 19). "Homo quidam habuit uxorem rebellem..." (Du Méril, *Poésies inédites du moyen âge*).
2 *a lo que entiendo* (= a mi juicio) se refiere, no a *de patria perusino,* sino a lo que dice el verso siguiente: *de ingenio griego y de valor romano.* Ver R.M.
4 *reverendo*: respetable.
5 *Un quídam... le vino en voluntad*: anacoluto frecuente en Cervantes. *Parnaso,* sin artículo, aquí y en otros lugares.
8 *antigua,* por *vieja,* frecuente en Cervantes.
13 Comp. Caporali: "Era di coda lunga e vista corta". B. Croce prefiere la descripción de Cervantes a la de Caporali.

caía en cualquier cosa fácilmente,
así en abril como en el mes de enero.
En fin, sobre ella el poetón valiente
llegó al Parnaso, y fue del rubio Apolo 20
agasajado con serena frente.
Contó, cuando volvió el poeta solo
y sin blanca a su patria, lo que en vuelo
llevó la fama deste al otro polo.
Yo, que siempre trabajo y me desvelo 25
por parecer que tengo de poeta
la gracia que no quiso darme el cielo,
quisiera despachar a la estafeta
mi alma, o por los aires, y ponella
sobre las cumbres del nombrado Oeta. 30
Pues descubriendo desde allí la bella
corriente de Aganipe, en un saltico
pudiera el labio remojar en ella,
y quedar del licor süave y rico
el pancho lleno, y ser de allí adelante 35
poeta ilustre, o al menos magnifico.
Mas mil inconvenientes al instante
se me ofrecieron, y quedó el deseo
en cierne, desvalido e ignorante.
Porque [en] la piedra que en mis hombros veo. 40
que la fortuna me cargó pesada,
mis mal logradas esperanzas leo.
Las muchas leguas de la gran jornada

17 *caía en* la cuenta de *cualquier cosa*... De donde el juego de palabras entre esta acepción y la normal de *caer*.
19 *poetón*: aumentativo jocoso, que reaparece en VIII, 409. Ver Introducción, págs. 21 y 22.
27 Ver Introducción, p. 10.
28 *a la estafeta*: fig., a toda prisa.
30 *Oeta*: monte de Etolia, donde yacía Hércules; *nombrado*: renombrado.
32 *Aganipe*: Hija del río Permeso y ninfa de la fuente homónima, situada al pie del monte Helicón. Estaba consagrada a las musas, y sus aguas inspiraban a los poetas.
36 *magnifico*: voz llana, por donaire. Ver ejemplos en R.M.
38 *Se me ofrecieron* a la imaginación, se me representaron.
42 "Dícelo como si leyera en una losa sepulcral el epitafio de sus desengaños." R.M.

se me representaron, que pudieran
torcer la voluntad aficionada, 45
si en aquel mesmo istante no acudieran
los humos de la fama a socorrerme
y corto y fácil el camino hicieran.
Dije entre mí: si yo viniese a verme
en la difícil cumbre deste monte, 50
y una guirnalda de laurel ponerme,
no envidiaría el bien decir de Aponte,
ni del muerto Galarza la agudeza,
en manos blando, en lengua Rodomonte.
Mas como de un error otro se empieza, 55
creyendo a mi deseo, di al camino
los pies, porque di al viento la cabeza.
En fin, sobre las ancas del Destino,
llevando a la elección puesta en la silla,
hacer el gran vïaje determino. 60
Si esta cabalgadura maravilla,
sepa el que no lo sabe que se usa
por todo el mundo, no sólo en Castilla.
Ninguno tiene o puede dar excusa
de no oprimir desta gran bestia el lomo, 65
ni mortal caminante lo rehúsa.
Suele tal vez ser tan ligera como
va por el aire el águila o saeta,
y tal vez anda con los pies de plomo.
Pero para la carga de un poeta, 70

49 Ver III, 472.
52 *Aponte*: Quien sienta curiosidad por saber algo acerca de los ingenios celebrados por Cervantes en el *Viaje* (algunos lo habían sido ya en el "Canto de Calíope" de *La Galatea*), puede ver las notas correspondientes de las ediciones de Bonilla y Medina, así como el Apéndice I de Cayetano Alberto de la Barrera en el t. XII de las *Obras completas* de Cervantes, 1863-64.
54 *Rodomonte* (o *Rodamonte*): Rey moro, personaje fanfarrón de Boyardo y de Ariosto; de donde, *rodomontada*: fanfarronada. Rodomonte fue llevado a la escena por Lope de Vega y por Rojas Zorrilla. Los franceses (Brantôme, etc.) achacaron esas *rodomontadas* a los españoles.
55 Comp. Garcilaso, *Égloga II*: "Y como de un dolor otro se empieza...".

siempre ligera, cualquier bestia puede
llevarla, pues carece de maleta;
que es caso ya infalible, que, aunque herede
riquezas un poeta, en poder suyo
no aumentarlas, perderlas le sucede. 75
Desta verdad ser la ocasión arguyo,
que tú, ¡oh gran padre Apolo!, les infundes
en sus intentos el intento tuyo.
Y como no le mezclas ni confundes
en cosas *de agibílibus* rateras, 80
ni en el mar de ganancia vil le hundes,
ellos, o traten burlas, o sean veras,
sin aspirar a ganancia en cosa,
sobre el convexo van de las esferas,
pintando en la palestra rigurosa 85
las acciones de Marte, o entre (las) flores
las de Venus, más blanda y amorosa.
Llorando guerras, o cantando amores,
la vida como en sueño se les pasa,
o como suele el tiempo a jugadores. 90
Son hechos los poetas de una masa
dulce, süave, correosa y tierna,
y amiga del hogar de ajena casa.
El poeta más cuerdo se gobierna
por su antojo baldío y regalado, 95
de trazas lleno y de ignorancia eterna.
Absorto en sus quimeras, y admirado
de sus mismas acciones, no procura

75 Probable alusión a Juan de Arguijo, que perdió casi toda su cuantiosa fortuna. Comp.: "que no hay poeta, según dicen, que sepa conservar la hacienda que tiene, ni granjear la que no tiene". *La gitanilla.*

80 *agilibus*: habilidad; *rateras*: menudas, bajas.

83 *en cosa*: en nada.

84 *convexo,* aquí, es sustantivo.

86 R. Rojas suprimió el artículo *las* de este verso. Sin embargo, manteniendo *las* sigue habiendo endecasílabo, aunque haya que hacer la "doble y dura sinalefa de *te-o-en*". Medina. Ver otra sinalefa doble en II, 321.

87 Comp.: "No hay cosa que sea gustosa / sin Venus blanda, amorosa...". *El rufián dichoso,* Jorn. II.

llegar a rico como a honroso estado.
  Vayan, pues, los leyentes con letura, 100
cual dice el vulgo mal limado y bronco,
que yo soy un poeta desta hechura:
  cisne en las canas, y en la voz un ronco
y negro cuervo, sin que el tiempo pueda
desbastar de mi ingenio el duro tronco; 105
  y que en la cumbre de la varia rueda
jamás me pude ver sólo un momento,
pues cuando subir quiero, se está queda.
  Pero por ver si un alto pensamiento
se puede prometer feliz suceso, 110
seguí el viaje a paso tardo y lento.
  Un candeal con ocho mis de queso
fue en mis alforjas mi repostería,
útil al que camina, y leve peso.
  —Adiós, dije a la humilde choza mía; 115
adiós, Madrid; adiós tu Prado y fuentes
que manan néctar, llueven ambrosía.
  Adiós, conversaciones suficientes
a entretener un pecho cuidadoso,
y a dos mil desvalidos pretendientes. 120
  Adiós, sitio agradable y mentiroso,

99 El texto (y Bonilla): *llegar a rico, como a honroso estado.* Con R.M., suprimo la coma, ya que el sentido es: *no procura llegar* tanto *a rico como a honroso estado.*
100 *Ir con letura*: proceder con advertencia. "Si de llegarte a los bue-, / libro, fueres con letu-, / no te dirá el boquirru- / que no pones bien los de-". *Quijote,* I, versos preliminares.
101 *Cual dice...*: Cervantes era muy inclinado a este tipo de salvedades o enmiendas, que le servían para ofrecer distintos puntos de vista, reservándose el suyo propio.
105 Ver Introducción, p. 22. El cisne es símbolo del buen poeta, como el cuervo lo es del malo.
108 Comp. J. Manrique: "...que bienes son de Fortuna / que rebuelven con su rueda presurosa, / la qual non puede ser una / ni estar estable ni *queda* / en una cosa". R.M. juzga que la presente afirmación de Cervantes no concuerda con la que se hace en IV, 79-81.
112 *candeal,* aquí, es sustantivo. Ver R.M.; *mis*: contracción vulgar de *maravedís,* sacada de la forma abreviada en que solía escribirse.
119 *cuidadoso*: preocupado.
121 Según R.M., Cervantes "parece referirse al famoso *mentidero de los representantes*" de Madrid.

do fueron dos gigantes abrasados
con el rayo de Júpiter fogoso.
 Adiós, teatros públicos, honrados
por la ignorancia, que ensalzada veo 125
en cien mil disparates recitados.
 Adiós de San Felipe el gran paseo,
donde si baja o sube el turco galgo
como en gaceta de Venecia leo.
 Adiós, hambre sotil de algún hidalgo, 130
que por no verme ante tus puertas muerto,
hoy de mi patria y de mí mismo salgo.—
 Con esto poco a poco llegué al puerto
a quien los de Cartago dieron nombre,
cerrado a todos vientos y encubierto. 135
 A cuyo claro y sin igual renombre
se postran cuantos puertos el mar baña,
descubre el sol y ha navegado el hombre.
 Arrojóse mi vista a la campaña
rasa del mar, que trujo a mi memoria 140
del heroico Don Juan la heroica hazaña.

122 Bonilla cree "muy probable que Cervantes escribiese '*los* gigantes', y no '*dos* gigantes' ".
123 Ver Bonilla, aunque como dice R.M.: "Ni Bonilla ni Medina pudieron poner en claro esta alusión a una quizás patraña o leyenda recóndita, de la cual tampoco yo columbro nada". Por mi parte, no he intentado averiguación alguna.
126 En el *Viaje* sigue la invectiva contra la comedia española de la época, que Cervantes había iniciado en la I Parte del *Quijote*.
128 El mahometano —y también el judío— era motejado de *perro* y, más concretamente, de *galgo*.
129 Venecia fue la ciudad en que se publicó la primera *Gaceta* europea, a fines del s. XVII. Las *gacetas* solían exagerar los sucesos y acoger falsos rumores, de donde la frase vulgar "mentir más que la gaceta".
130-132 Terceto de viva y dolorosa actualidad, sin más que cambiar lo de *hidalgo*. R. M. anota: "*Salir* uno *de su patria y de sí mismo* no es frase de solo Cervantes, sino manera de decir usual en su tiempo". Con todo, es verso de hondo, íntimo patriotismo.
134 Cartagena, la antigua *Cartago nova,* fundada en 228 a. de J. C.
138 Ver en R. M. ejemplos de este "manoseado tópico".
141 *Don Juan* de Austria.

Donde con alta de soldados gloria,
y con propio valor y airado pecho
tuve, aunque humilde, parte en la vitoria.
Allí, con rabia y con mortal despecho, 145
el otomano orgullo vio su brío
hollado y reducido a pobre estrecho.
Lleno, pues, de esperanzas y vacío
de temor, busqué luego una fragata,
que efetuase el alto intento mío. 150
Cuando por la, aunque azul, líquida plata
vi venir un bajel a vela y remo,
que tomar tierra en el gran puerto trata.
Del más gallardo, y más vistoso extremo
de cuantos las espaldas de Neptuno 155
oprimieron jamás, ni más supremo.
Cual éste, nunca vio bajel alguno
el mar, ni pudo verse en el armada
que destruyó la vengativa Juno.
No fue del vellocino a la jornada 160
Argos tan bien compuesta y tan pomposa,
ni de tantas riquezas adornada.
Cuando entraba en el puerto la hermosa
Aurora por las puertas del oriente,

142 El hipérbaton es rasgo frecuente en la poesía de la época, y en la de Cervantes. No llamaré, en general, la atención sobre los que hay en el *Viaje*. Un tipo particular de hipérbaton es el que consiste en colocar un sustantivo entre dos adjetivos, como lo hace Cervantes a imitación de Fernando de Herrera.

144 Aquí habla Cervantes por sí mismo, con justeza, lejos de ese "andalucismo" hiperbólico que infundadamente le atribuyó R. M.

147 *estrecho*: aprieto, apuro. Se repite en I, 315.

148-149 *Lleno, pues, de esperanzas y vacío / de temor*: Las contraposiciones de este tipo, y las meramente festivas, p. ej.: *aunque enfermos están y ellas no sanas* (V, 36), abundan en el *Viaje*.

159 Alusión a la armada de Eneas, que Eolo destruyó a petición de Juno, enemiga de los troyanos.

161 *Argos*: Nombre del constructor de la nave, y de la nave misma en que embarcaron los argonautas a la conquista del vellocino de oro. Fue construida bajo los auspicios de Palas, que, a la vuelta de la expedición, la convirtió en la constelación del mismo nombre.

164 *Las puertas* (o *los balcones*) *del oriente*: Metáfora usual.

salía en trenza blanda y amorosa; 165
oyóse un estampido de repente,
haciendo salva la real galera,
que despertó y alborotó la gente.
El son de los clarines la ribera
llenaba de dulcísima armonía, 170
y el de la chusma alegre y placentera.
Entrábanse las horas por el día,
a cuya luz con distinción más clara
se vio del gran bajel la bizarría.
Áncoras echa, y en el puerto para, 175
y arroja un ancho esquife al mar tranquilo
con música, con grita y algazara.
Usan los marineros de su estilo;
cubren la popa con tapetes tales,
que es oro y sirgo de su trama el hilo. 180
Tocan de la ribera los umbrales;
sale del rico esquife un caballero
en hombros de otros cuatro principales.
En cuyo traje y ademán severo 185
vi de Mercurio al vivo la figura,
de los fingidos dioses mensajero.
En el gallardo talle y compostura,
en los alados pies, y el caduceo,
símbolo de prudencia y de cordura,
digo que al mismo paraninfo veo, 190
que trujo mentirosas embajadas
a la tierra del alto Coliseo.
Vile, y apenas puso las aladas
plantas en las arenas, venturosas
por verse de divinos pies tocadas, 195
cuando yo, revolviendo cien mil cosas
en la imaginación, llegué a postrarme

Comp. *Quijote,* I, 13: "Mas apenas comenzó a descubrirse el día por los balcones del oriente..."

165 *en trenza*: con la cabeza descubierta. *La Aurora de hermosas trenzas,* la llamó Homero en su *Odisea.*

171 *chusma*: tripulación.

190 *paraninfo*: nuncio de una buena nueva. Lo mismo en I, 326.

ante las plantas por adorno hermosas.
Mandóme el dios parlero luego alzarme,
y, con medidos versos y sonantes, 200
desta manera comenzó a hablarme:
—¡Oh Adán de los poetas, oh Cervantes!
¿Qué alforjas y qué traje es éste, amigo,
que así muestra discursos ignorantes?—
Yo, respondiendo a su demanda, digo: 205
—Señor: voy al Parnaso, y, como pobre,
con este aliño mi jornada sigo.—
Y él a mí dijo: —¡oh sobrehumano y sobre
espíritu cilenio levantado!,
¡toda abundancia y todo honor te sobre! 210
Que, en fin, has respondido a ser soldado
antiguo y valeroso, cual lo muestra
la mano de que estás estropeado.
Bien sé que en la naval dura palestra
perdiste el movimiento de la mano 215
izquierda, para gloria de la diestra.
Y sé que aquel instinto sobrehumano
que de raro inventor tu pecho encierra
no te le ha dado el padre Apolo en vano.
Tus obras los rincones de la tierra, 220
llevándola[s] en grupa Rocinante,
descubren, y a la envidia mueven guerra.
Pasa, raro inventor, pasa adelante

199 *el dios parlero*: Mercurio, dios de la elocuencia. De nuevo, *parlero,* en IV, 145. En II, 2, *el dios hablante*. Y asimismo en el romance inserto en *La gitanilla,* "Salió a misa de parida...": *El dios parlero.*
202 Ver Introducción, p. 13.
209 *cilenio*: referente a Mercurio. De Cyllene (hoy Zyria), montaña del Peloponeso, donde había nacido Hermes (Mercurio). También en IV, 533 y en VII, 172.
210 La consonancia de una palabra consigo misma, especialmente cuando tenía diferente acepción, como aquí *sobre* (preposición) y *sobre* (verbo), pero también sin cambio de sentido, abunda en el *Viaje*.
214 *la naval*: Por antonomasia, la batalla de Lepanto. Bonilla, innecesariamente, imprime *Naval,* que no debe llevar mayúscula, pues es adjetivo.
223 Cuando Cervantes escribió estas líneas, el *Quijote* llevaba ya una serie de ediciones tanto en España como en el extranjero, entre ellas la primera traducción al francés (1612).

con tu sotil disinio, y presta ayuda
a Apolo, que la tuya es importante. 225
  Antes que el escuadrón vulgar acuda
de más de veinte mil sietemesinos
poetas, que de serlo están en duda.
  Llenas van ya las sendas y caminos
desta canalla inútil contra el monte, 230
que aun de estar a su sombra no son dignos.
  Ármate de tus versos luego, y ponte
a punto de seguir este vïaje
conmigo, y a la gran obra disponte.
  Conmigo, segurísimo pasaje 235
tendrás, sin que te empaches, ni procures
lo que suelen llamar matalotaje.

224 *disinio* (italianismo): designio.
228 "El verbo en plural hace anfibológica la frase, pues a primera vista parece que ellos, los poetas, están dudosos de si lo son. Quiere decir que está en duda, o es dudoso, que sean poetas." R. M. Tal vez quiere decir eso, pero también lo otro. De modo que, si la frase es anfibológica, lo es adrede. Ver Introducción, p. 11.
230 *contra el monte* Parnaso.
231 *dignos* se pronunciaba *dinos* y podía rimar así con *sietemesinos* y *caminos*. Del mismo modo, *perfectos* (= *perfetos*) con *sonetos* y *tercetos* (I, 254-258), etc. No volveré a llamar la atención sobre esta particularidad.
232 *Armate de tus versos*: La batalla poética del *Viaje* se funda en un juego de palabras, ya que *verso* significa también arma artillera.
233 "*Ponte a punto,* jueguecillo de palabras que, si no fue involuntario, debe censurarse, máxime cuando Mercurio no habla aquí en tono de jocosidad." R. M. Creo que se trata de algo involuntario, ya que a Cervantes no le preocupaba la evitación de minucias como la presente. El "jueguecillo de palabras" resulta mecánicamente de usar en imperativo la expresión *ponerse a punto*. Donde evidentemente jugó del vocablo fue en el *Quijote,* I, 43: "A punto que te me encubras / será de mi muerte el punto. Llegando el que cantaba a este punto..."
234 "Desdichado es... el remate de este terceto, sobre todo por la contigüidad de acentos que se estorban mutuamente en sitio señaladísimo... Son los defectos de este terceto de muestra los que más abundan y enfadan en la poesía cervantina. Desgracia del ritmo sintáctico, de la transición de un verso a otro, de las pausas que despedazan el verso por sitio contrario a las naturales coyunturas..., repetición de palabras simples y compuestas en las rimas, elección, para fin de verso y rima, de vocablos incoloros y poco eufónicos, y colisión de acentos inmediatos." Gerardo Diego.

Y por que esta verdad que digo apures,
entra conmigo en mi galera, y mira
cosas con que te asombres y asegures.— 240
Yo, aunque pensé que todo era mentira,
entré con él en la galera hermosa
y vi lo que pensar en ello admira.
De la quilla a la gavia, ¡oh extraña cosa!,
toda de versos era fabricada, 245
sin que se entremetiese alguna prosa.
Las ballesteras eran de ensalada
de glosas, todas hechas a la boda
de la que se llamó mal maridada.
Era la chusma de romances toda, 250
gente atrevida, empero necesaria,
pues a todas acciones se acomoda.
La popa, de materia extraordinaria,
bastarda, y de legítimos sonetos,
de labor peregrina en todo y varia. 255
Eran dos valentísimos tercetos
los espalderes de la izquierda y diestra,
para dar boga larga muy perfectos.
Hecha ser la crujía se me muestra
de una luenga y tristísima elegía, 260
que no en cantar, sino en llorar es diestra.
Por ésta entiendo yo que se diría
lo que suele decirse a un desdichado,
cuando lo pasa mal: "pasó crujía".
El árbol, hasta el cielo levantado, 265
de una dura canción prolija estaba

238 *apures*: compruebes.
247 "*ensaladas*, un género de canciones que tienen diversos metros, y son como centones recogidos de diversos autores." Covarrubias.
248 "...*ensalada de glosas*, como dice Cervantes, no sé qué sea, ni cómo pudiera hacerse una ensalada de glosas de *la bella Malmaridada*." R. M.
249 Alusión al famoso romance viejo "La bella mal maridada...", objeto de continuas glosas y alusiones desde mediados del s. XVI.
264 *Pasar crujía*: verse en peligro. Sobre el tormento de *pasar crujía*, aplicado en las galeras, ver R. M.

de canto de seis dedos embreado.
Él y la entena que por él cruzaba,
de duros estrambotes la madera
de que eran hechos claro se mostraba. 270
La racamenta, que es siempre parlera,
toda la componían redondillas,
con que ella se mostraba más ligera.
Las jarcias parecían seguidillas
de disparates mil y más compuestas, 275
que suelen en el alma hacer cosquillas.
Las rumbadas, fortísimas y honestas
estancias eran, tablas poderosas,
que llevan un poemá y otro a cuestas.
Era cosa de ver las bulliciosas 280
banderillas que al aire tremolaban,
de varias rimas algo licenciosas.
Los grumetes, que aquí y allí cruzaban,
de encadenados versos parecían,
puesto que como libres trabajaban. 285
Todas las obras muertas componían
o versos sueltos, o sextinas graves,
que a la galera más gallarda hacían.
En fin, con modos blandos y süaves,
viendo Mercurio que yo visto había 290
el bajel, que es razón, lector, que alabes,
junto a mí se sentó, y su voz envía
a mis oídos en razones claras

268 *entena*: antena.
269 *estrambotes* (italianismo): *Strambotto* es "poesia solita cantarsi dagli innamorati, e per lo più in ottava rima." N. Tommaseo y B. Bellini, *Dizionario della Lingua Italiana*. Cervantes mencionó estos *estrambotes* en el *Quijote*, II, 38.
276 Comp. *Quijote*, II, 38: "Pues ¿qué cuando se humillan a componer un género de versos que en Candaya se usaba entonces, a quien ellos llamaban seguidillas? Allí era el brincar de las almas, el retozar de la risa, el desasosiego de los cuerpos y, finalmente, el azogue de todos los sentidos."
277 *rumbada* o *arrumbada*: corredor en la proa de las galeras, donde se colocaban los soldados para hacer fuego.
281 *banderillas*: banderolas, banderines.
284 *Versos encadenados*: los que comienzan por la misma palabra en que termina el anterior.
287 *versos sueltos*: endecasílabos blancos.
291 Ver Introducción, p. 11.

y llenas de suavísima armonía,
  diciendo: —Entre las cosas que son raras 295
y nuevas en el mundo y peregrinas,
verás, si en ello adviertes y reparas,
  que es una este bajel de las más dignas
de admiración, que llegue a ser espanto
a naciones remotas y vecinas. 300
  No le formaron máquinas de encanto,
sino el ingenio del divino Apolo,
que puede, quiere, y llega y sube a tanto.
  Formóle, ¡oh nuevo caso!, para sólo
que yo llevase en él cuantos poetas 305
hay desde el claro Tajo hasta Pactolo.
  De Malta el gran maestre, a quien secretas
espías dan aviso que en oriente
se aperciben las bárbaras saetas,
  teme, y envía a convocar la gente 310
que sella con la blanca cruz el pecho,
porque en su fuerza su valor se aumente.
  A cuya imitación, Apolo ha hecho
que los famosos vates al Parnaso
acudan, que está puesto en duro estrecho. 315
  Yo, condolido del doliente caso,
en el ligero casco, ya instruido
de lo que he de hacer, aguijo el paso.
  De Italia las riberas he barrido;
he visto las de Francia y no tocado, 320
por venir sólo a España dirigido.
  Aquí, con dulce y con felice agrado,
hará fin mi camino, a lo que creo,
y seré fácilmente despachado.

306 *Pactolo*: Pequeño río de Lidia cuyas arenas auríferas, citadas por los poetas griegos y latinos, se hicieron proverbiales. "Es muy de los parnasos clásicos valerse de los nombres de los ríos para designar tierras o regiones muy distantes entre sí." R. M. Cervantes usó este procedimiento también en broma: "Por esto será famosa / desde Henares a Jarama, /desde el Tajo a Manzanares, / desde Pisuerga hasta Arlanza..." *Quijote,* II, 44.
308 *secretas espías*: *Espía* (como también *centinela, guarda,* y otras) era voz femenina en tiempo de Cervantes.

Tú, aunque en tus canas tu pereza veo, 325
serás el paraninfo de mi asumpto
y el solicitador de mi deseo.
Parte, y no te detengas sólo un punto,
y a los que en esta lista van escritos
dirás de Apolo cuanto aquí yo apunto.— 330
Sacó un papel, y en él casi infinitos
nombres vi de poetas, en que había
yangüeses, vizcaínos y coritos.
Allí famosos vi de Andalucía,
y entre los castellanos vi unos hombres 335
en quien vive de asiento la poesía.
Dijo Mercurio: —Quiero que me nombres
desta turba gentil, pues tú lo sabes,
la alteza de su ingenio, con los nombres.—
Yo respondí: —De los que son más graves 340
diré lo que supiere, por moverte
a que ante Apolo su valor alabes.—
Él escuchó. Yo dije desta suerte.

328 *sólo*: ni siquiera.
333 *yangüeses*: de Yanguas de Eresma (Segovia) o de Yanguas (Soria); *coritos*: montañeses y asturianos; quizá, también, gallegos. Ver R. M.

CAPÍTULO II

Colgado estaba de mi antigua boca
el dios hablante, pero entonces mudo
(que al que escucha, el guardar silencio toca),
cuando di de improviso un estornudo,
y haciendo cruces por el mal agüero, 5
del gran Mercurio al mandamiento acudo.
Miré la lista, y vi que era el primero
el licenciado Juan de Ochoa amigo,
por poeta y cristiano verdadero.
Deste varón en su alabanza digo 10
que puede acelerar y dar la muerte
con su claro discurso al enemigo,
y que si no se aparta y se divierte
su ingenio en la gramática española,
será de Apolo sin igual la suerte; 15
pues de su poësía al mundo sola
puede esperar poner el pie en la cumbre
de la inconstante rueda o varia bola.
Este que de los cómicos es lumbre,
que el licenciado Poyo es su apellido, 20

1 *Colgado*: pendiente.
5 Acerca de esta superstición, ver R. M., 465-467.
10 *su...deste*: Redundancia habitual en Cervantes.
13 *se divierte*: se desvía. Lo mismo en III, 325.
16 *al mundo sola*: italianismo: Comp. Petrarca: "Vergine sola al mondo, senza esempio". Y *Quijote*, I, versos preliminares: "Tu sabio autor, al mundo único y solo".

no hay nube que a su sol claro deslumbre.
Pero como está siempre entretenido
en trazas, en quimeras e invenciones,
no ha de acudir a este marcial ruido.
Este que en lista por tercero pones, 25
que Hipólito se llama de Vergara,
si llevarle al Parnaso te dispones,
haz cuenta que en él llevas una jara,
una saeta, un arcabuz, un rayo
que contra la ignorancia se dispara. 30
Este que tiene como mes de mayo
florido ingenio, y que comienza ahora
a hacer de sus comedias nuevo ensayo,
Godínez es. Y estotro que enamora
las almas con sus versos regalados, 35
cuando de amor ternezas canta o llora,
es uno que valdrá por mil soldados
cuando a la extraña y nunca vista empresa
fueren los escogidos y llamados;
digo que es Don Francisco, el que profesa 40
las armas y las letras con tal nombre,
que por su igual Apolo le confiesa;
es de Calatayud su sobrenombre;
con esto queda dicho todo cuanto
puedo decir con que a la invidia asombre. 45
Este que sigue es un poeta santo,
digo famoso: Miguel Cid se llama,
que al coro de las musas pone espanto.
Estotro que sus versos encarama
sobre los mismos hombros de Calisto, 50

21 *deslumbre*: oculte, mengüe.
39 *los escogidos y llamados*: "Multi sunt vocati, pauci vero electi". San Mateo, XX, 16. La reminiscencia evangélica reaparece en IV, 505 y en VIII, 70. Cervantes la usó también en otras obras, por ej., *Quijote*, I, 11: "ni menguar por no llamado, / ni crecer por escogido"; *Ibid.*, I, 46: "...aquella grande aventura para que había sido llamado y escogido".
48 *pone espanto*: causa asombro, admiración.
50 *Calisto*: la Osa Mayor.

tan celebrado siempre de la fama,
  es aquel agradable, aquel bienquisto,
aquel agudo, aquel sonoro y grave
sobre cuantos poetas Febo ha visto;
  aquel que tiene de escribir la llave 55
con gracia y agudeza en tanto extremo,
que su igual en el orbe no se sabe;
  es Don Luis de Góngora, a quien temo
agraviar en mis cortas alabanzas,
aunque las suba al grado más supremo. 60
  ¡Oh tú, divino espíritu, que alcanzas
ya el premio merecido a tus deseos
y a tus bien colocadas esperanzas;
  ya en nuevos y justísimos empleos,
divino Herrera, tu caudal se aplica, 65
aspirando del cielo a los trofeos!
  Ya de tu hermosa Luz, y clara, y rica
el bello resplandor miras seguro,
en la que [el] alma tuya beatifica;
  y arrimada tu hiedra al fuerte muro 70
de la inmortalidad, no estimas cuanto
mora en las sombras deste mundo escuro.
  Y tú, Don Juan de Jáurigui, que a tanto
el sabio curso de tu pluma aspira,
que sobre las esferas le levanto; 75
  aunque Lucano por tu voz respira,
déjale un rato y, con piadosos ojos,
a la necesidad de Apolo mira;
  que te están esperando mil despojos
de otros mil atrevidos, que procuran 80
fértiles campos ser, siendo rastrojos.
  Y tú, por quien las musas aseguran

57 *sabe*: conoce.
61 "Los cuatro tercetos que siguen, dedicados a Fernando de Herrera, son de lo más sentido y sincero que escribió Cervantes en este curioso catálogo." (Del Campo)
67 *Luz*: Nombre poético que Herrera dio a su amada la condesa de Gelves.
73 *Jáurigui* o *Jáuregui*.
82-83 *aseguran su partido*: tienen seguro su bando.

su partido, Don Félix Arias, siente
que por su gentileza te conjuran
y ruegan que defiendas desta gente 85
non sancta su hermosura, y de Aganipe
y de Hipocrene la inmortal corriente.
¿Consentirás tú a dicha participe
del licor suavísimo un poeta
que al hacer de sus versos sude y hipe? 90
No lo consentirás, pues tu discreta
vena, abundante y rica, no permite
cosa que sombra tenga de imperfecta.
Señor, este que aquí viene se quite,
dije a Mercurio, que es un chacho necio, 95
que juega, y es de sátiras su envite.
Este sí que podrás tener en precio,
que es Alonso de Salas Barbadillo,
a quien me inclino y sin medida aprecio.
Este que viene aquí, si he de decillo, 100
no hay para qué le embarques, y así puedes
borrarle. Dijo el dios: gusto de oíllo.
Es un cierto rapaz, que a Ganimedes

86 *gente non sancta*: gente de mal vivir. La expresión proviene del Salmo XLII, 1, recitado en el introito de la misa: "Judica me Deus, et discerne causam meam de gente non sancta". Comp. *Quijote,* I, 22: "Señor caballero, cantar en el ansia se dice entre esta gente *non santa* confesar en el tormento".
87 *Aganipe* e *Hipocrene*: Para *Aganipe,* ver I, 32. Para *Hipocrene,* III, 312.
90 Ver Introducción, págs. 7, nota, y 11.
94 *se quite* de la lista.
95 *chacho*: Sobre la acepción de esta palabra, y acerca de a quién pudo aludir Cervantes llamándolo *chacho necio,* ver R. M. Del Campo entiende "charlatán" o "murmurador".
100 *decillo*: El texto, *dezirlo.*
103 *Ganimedes*: Joven príncipe, hijo de Tros, rey troyano. Según Homero (*Ilíada,* XX), por ser el más bello de los mortales, los dioses lo arrebataron por medio de un águila, para que sirviese de copero de Zeus, quien se enamoró del joven. En otra versión, es el mismo Zeus, transformado en águila, el raptor. N. Alonso Cortés (ed. de las *Eróticas*) sospechó que Cervantes aludió en este terceto a Esteban Manuel de Villegas. Ver Introducción, p. 17, nota 18.

quiere imitar, vistiéndose a lo godo,
y así aconsejo que sin él te quedes. 105
No lo harás con éste dese modo,
que es el gran Luis Cabrera, que, pequeño,
todo lo alcanza, pues lo sabe todo;
es de la historia conocido dueño,
y en discursos discretos tan discreto, 110
que a Tácito verás si te le enseño.
Este que viene es un galán, sujeto
de la varia fortuna a los vaivenes,
y del mudable tiempo al duro aprieto;
un tiempo rico de caducos bienes, 115
y ahora de los firmes e inmudables
más rico, a tu mandar firme le tienes;
pueden los altos riscos siempre estables
ser tocados del mar, mas no movidos
de sus ondas en cursos varïables; 120
ni menos a la tierra trae rendidos
los altos cedros Bóreas, cuando, airado,
quiere humillar los más fortalecidos.
Y este que vivo ejemplo nos ha dado
desta verdad con tal filosofía, 125
Don Lorenzo Ramírez es de Prado.
Deste que se le sigue aquí, diría
que es Don Antonio de Monroy, que veo
en él lo que es ingenio y cortesía.
Satisfación al más alto deseo 130
puede dar de valor heroico y ciencia,
pues mil descubro en él y otras mil creo.

104 *godo*: noble, linajudo. Ver. III, 98 y 284. *Vestirse a lo godo* es, en el fondo del pensamiento de Cervantes, alardear de cristiano viejo.

111 Posteriormente, Francisco Herrera Maldonado, *Sannazaro español* (1620), escribió también: "El Tácito español Luis de Cabrera / eternice a Castilla en docta historia".

120 Comp.: "que yo le he estado aquí aguardando más firme que roca puesta a las ondas del mar, que la tocan, mas no la mueven". *Persiles,* III, 21.

123 Comp. Horacio, II, 10: "Saepius ventis agitatur ingens pinus..."

129 Bonilla leyó mal el texto, estampando: *en ello que,* por *en él lo que.*

Este es un caballero de presencia
agradable y que tiene de Torcato
el alma sin alguna diferencia; 135
de Don Antonio de Paredes trato,
a quien dieron las Musas sus amigas,
en tierna edad, anciano ingenio y trato.
Este que por llevarle te fatigas,
es Don Antonio de Mendoza, y veo 140
cuánto en llevarle al sacro Apolo obligas.
Este que de las Musas es recreo,
la gracia, y el donaire, y la cordura,
que de la discreción lleva el trofeo,
es Pedro de Morales, propia hechura 145
del gusto cortesano, y es asilo
adonde se repara mi ventura.
Este, aunque tiene parte de Zoílo,
es el grande Espinel, que en la guitarra
tiene la prima y en el raro estilo. 150
Este, que tanto allá tira la barra
que las cumbres se deja atrás de Pindo,
que jura, que vocea, y que desgarra,
tiene más de poeta que de lindo,
y es Jusepe de Vargas, cuyo astuto 155
ingenio y rara condición deslindo.
Este, a quien pueden dar justo tributo

134 *Torcato*: Grafía usual en la época, por *Torcuato* (Tasso).
148 *Zoílo* (no *Zoilo*), el mordaz crítico de Homero. El juicio de Cervantes se fundaba en palabras del propio Espinel: "Acostumbré con libertad desnuda / decir mi parecer al más pintado, / en torpe estilo, o con razón aguda. / Algo fui maldiciente y confiado, / juëz severo, en alabar remiso, / a todos los extremos inclinado" (*Diversas rimas*). Ver Introducción, págs. 10 y 19.
150 *Tener la prima*: tener la primacía. No es cierto que Espinel añadiese a la guitarra la cuerda llamada *prima,* como ha venido afirmándose por error. La cuerda que añadió Espinel fue *el quinto*.
151 *Tirar la barra*: Expresión figurada, tomada de un juego gimnástico todavía en uso.
152 *Pindo*: Célebre cadena montañosa en el norte de Grecia. Separa el Epiro y la Tesalia, constituyendo la divisoria entre el Adriático y el Egeo.
153 *desgarra*: maldice.

Miguel de Cervantes, retrato apócrifo

Real Academia Española

Felipe III, rey de España cuando Cervantes publicó el *Viaje del Parnaso*. Velázquez

Museo del Prado

la gala y el ingenio, que más pueda
ofrecer a las musas flor y fruto,
  es el famoso Andrés de Balmaseda, 160
de cuyo grave y dulce entendimiento
el magno Apolo satisfecho queda.
  Este es Enciso, gloria y ornamento
del Tajo, y claro honor de Manzanares,
que con tal hijo aumenta su contento. 165
  Este, que es escogido entre millares,
de Guevara Luis Vélez es el bravo,
que se puede llamar quitapesares;
  es poeta gigante, en quien alabo
el verso numeroso, el peregrino 170
ingenio, si un Gnatón nos pinta, o un Davo.
  Este es Don Juan de España, que es más digno
de alabanzas divinas que de humanas,
pues en todos sus versos es divino.
  Este, por quien de Luso están ufanas 175
las musas, es Silveira, aquel famoso,
que por llevarle con razón te afanas.
  Este que se le sigue es el curioso
gran Don Pedro de Herrera, conocido
por de ingenio elevado en punto honroso. 180
  Este que de la cárcel del olvido
sacó otra vez a Proserpina hermosa,
con que a España y al Dauro ha enriquecido,
  verásle en la contienda rigurosa,
que se teme y se espera en nuestros días 185
(culpa de nuestra edad poco dichosa),
  mostrar de su valor las lozanías;

169 *poeta gigante*: Así por sus dotes como por su estatura física.
170 *numeroso*: armonioso.
171 *Gnatho* (parasitus = truhán) y *Davus* (siervo): personajes de las comedias de Terencio (*Andria, Phormio, Eunuchus*), traducidas al español por Pedro Simón en 1577.
175 *Luso* (el texto, por errata, *Lugo*): Hijo o compañero de Baco, de quien tomó nombre *Lusitania* (Portugal).
182 *Proserpina*: Hija de Júpiter y Ceres. Plutón, enamorado de ella, la raptó, llevándola al reino de los infiernos.
183 *Dauro*: Darro, el río granadino.

pero ¿qué mucho, si es aqueste el docto
y grave Don Francisco de Farías?
 Este de quien yo fui siempre devoto, 190
oráculo y Apolo de Granada,
y aun deste clima nuestro y del remoto,
 Pedro Rodríguez es. Este es Tejada,
de altitonantes versos y sonoros,
con majestad en todo levantada. 195
 Este que brota versos por los poros
y halla patria y amigos donde quiera,
y tiene en los ajenos sus tesoros,
 es Medinilla, el que la vez primera
cantó el romance de la tumba escura, 200
entre cipreses puestos en hilera.
 Este que en verdes años se apresura
y corre al sacro lauro, es Don Fernando
Bermúdez, donde vive la cordura.
 Este es aquel poeta memorando 205
que mostró de su ingenio la agudeza,
en las selvas de Erífile, cantando.
 Este que la coluna nueva empieza,
con estos dos que con su ser convienen,
nombrarlos aun lo tengo por bajeza. 210
 Miguel Cejudo y Miguel Sánchez vienen
juntos aquí, ¡oh par sin par!; en éstos

189 *Farías*: Francisco Farias, llamado *de Farías* por necesidad métrica.
194 *altitonantes,* como dice el texto y leyeron Bonilla y R. M. Medina, por distracción, *altisonantes,* voz más frecuente.
199 *Medinilla*: No Baltasar Elisio de Medinilla, como creyeron Bonilla y Medina, sino Pedro de Medina Medinilla. Para la identidad de este poeta y para la del *romance de la tumba escura,* ver R. M.
207 Alusión a la obra de Bernardo de Balbuena *Siglo de Oro, en las Selvas de Erífile*... (1608).
208 *la coluna nueva*: Se supone que la lista de poetas estaría escrita en doble columna. Bonilla (Introducción a su ed. del *Viaje*) censura "la inaguantable repetición del pronombre demostrativo: en solas tres páginas..., figura *21 veces* 'este', como primera palabra para presentar a un nuevo soldado de la armada poética".
210 R. M. supone que Cervantes no escribió *aun nombrarlos,* que sería más claro, por evitar la cacofonía *los lo*.
212 Según R. M., "pésimo endecasílabo". — *¡oh par sin par!*:

las sacras musas fuerte amparo tienen;
que en los pies de sus versos bien compuestos,
llenos de erudición rara y dotrina, 215
al ir al grave caso serán prestos.
Este gran caballero, que se inclina
a la lección de los poetas buenos,
y al sacro monte con su luz camina,
Don Francisco de Silva es por lo menos; 220
¿qué será por lo más? ¡Oh edad madura,
en verdes años de cordura llenos!
Don Gabriel Gómez viene aquí; segura
tiene con él Apolo la vitoria
de la canalla siempre necia y dura. 225
Para honor de su ingenio, para gloria
de su florida edad, para que admire
siempre de siglo en siglo su memoria,
en este gran sujeto se retire
y abrevie la esperanza deste hecho, 230
y Febo al gran Valdés atento mire.
Verá en él un gallardo y sabio pecho,
un ingenio sutil y levantado,
con que le deje en todo satisfecho.
Figueroa es estotro, el doctorado, 235
que cantó de Amarili la costancia
en dulce prosa y verso regalado.
Cuatro vienen aquí en poca distancia
con mayúsculas letras de oro escritos,
que son del alto asumpto la importancia. 240
De tales cuatro, siglos infinitos
durará la memoria, sustentada

Comp. *Quijote*, I, versos preliminares, soneto de "Orlando furioso a Don Quijote de la Mancha": "Si no eres par, tampoco le has tenido".

216 Juega Cervantes con la acepción usual de *pies* y la de *pies* métricos.

220 *por lo menos*: nada menos que.

222 Comp. Bembo (*apud* R. M.): "Senno maturo a la più verde etade". Antítesis tan frecuente como la opuesta: "Jam senior, sed cruda deo viridisque senectus". Virgilio, *Eneida*, VI, 304.

230 *hecho*: El texto, por errata, *lecho*.

en la alta gravedad de sus escritos;
del claro Apolo la real morada,
si viniere a caer de su grandeza, 245
será por estos cuatro levantada;
en ellos nos cifró Naturaleza
el todo de las partes, que son dignas
de gozar celsitud, que es más que alteza.
Esta verdad, gran conde de Salinas, 250
bien la acreditas con tus raras obras,
que en los términos tocan de divinas.
Tú, el de Esquilache príncipe, que cobras
de día en día crédito tamaño,
que te adelantas a ti mismo y sobras, 255
serás escudo fuerte al grave daño,
que teme Apolo, con ventajas tantas,
que no te espere el escuadrón tacaño.
Tú, conde de Saldaña, que con plantas
tiernas pisas de Pindo la alta cumbre, 260
y en alas de tu ingenio te levantas,
hacha has de ser de inextinguible lumbre,
que guíe al sacro monte al deseoso
de verse en él, sin que la luz deslumbre.
Tú, el de Villamediana, el más famoso 265
de cuantos entre griegos y latinos
alcanzaron el lauro venturoso,
cruzarás por las sendas y caminos
que al monte guían, porque más seguros
lleguen a él los simples peregrinos; 270
a cuya vista destos cuatro muros
de Parnaso, caerán las arrogancias
de los mancebos, sobre necios, duros.
¡Oh cuántas y cuán graves circunstancias

249 *celsitud*: excelsitud.
255 *sobras*: superas.
258 "*Tacaño*, el bellaco que es astuto y engañador". Covarrubias.
262 *A cuya vista destos cuatro muros de Parnaso*: Comp. *Quijote*, I, 49: "...un don Manuel de León, Sevilla, cuya lección de sus valerosos hechos puede entretener..." Para este uso de *cuyo*, ver R. Menéndez Pidal, *Antología de prosistas castellanos*, p. 225. Para *Parnaso*, sin artículo, ver I, 5.

dijera destos cuatro, que felices 275
aseguran de Apolo las ganancias!
Y más si se les llega el de Alcañices
marqués insigne, harán (puesto que hay una
en el mundo no más) cinco fenices;
cada cual de por sí será coluna 280
que sustente y levante el idificio
de Febo sobre el cerco de la luna.
Este, puesto que acude al grave oficio
en que se ocupa, el lauro [y] palma lleva,
que Apolo da por honra y beneficio. 285
En esta ciencia es maravilla nueva,
y en la jurispericia único y raro;
su nombre es Don Francisco de la Cueva.
Este, que con Homero le comparo,
es el gran Don Rodrigo de Herrera, 290
insigne en letras y en virtudes raro.
Este que se le sigue es el de Vera
Don Juan, que por su espada y por su pluma
le honran en la quinta y cuarta esfera.
Este que el cuerpo y aun el alma bruma 295
de mil, aunque no muestra ser cristiano,
sus escritos el tiempo no consuma.

279 *fenices*: plural italianizante de *fénix*.
281 *idificio*: Vulgarismo, por asimilación regresiva.
287 *único y raro*: Comp. Bernardo Tasso (*apud* R. M.): "O miracol del mondo unico e raro". También en el *Quijote*, I, versos preliminares, soneto de "El Caballero del Febo a Don Quijote de la Mancha": "Améla por milagro único y raro". Ver II, 16.
291 *raro*: Leo, con el texto y con Bonilla, *raro*, sin decidirme a enmendar, como lo hacen Medina, R. M. y casi todos los demás editores, *claro*, pues, aunque, como dice R. M., así "se evita la repetición de este adjetivo, ya usado cuatro versos antes, y su consonancia consigo propio", tanto las repeticiones como las consonancias son frecuentes en Cervantes.
294 *la quinta y cuarta esfera*: Son las esferas (o cielos) del universo, en la doctrina de Juan de Sacrobosco (s. XIII), autor del tratado *De sphaera mundi*, que tuvo más de setenta ediciones entre 1472 y 1647. Cervantes invierte el orden normal, *le honran en la cuarta y quinta esfera*, porque la *cuarta esfera* era la del Sol; la *quinta*, la de Marte, y había de citarlas en orden inverso para corresponder con la *espada* y la *pluma* del verso anterior. El texto, *quenta*, por *quinta*.
297 Se refiere a Quevedo, citado poco después.

Cayóseme la lista de la mano
en este punto, y dijo el dios: —Con estos
que has referido está el negocio llano. 300
Haz que con pies y pensamientos prestos
vengan aquí, donde aguardando quedo
la fuerza de tan válidos supuestos.
—Mal podrá Don Francisco de Quevedo
venir, dije yo entonces; y él me dijo: 305
—Pues partirme sin él de aquí no puedo.
Ese es hijo de Apolo, ese es hijo
de Calíope Musa; no podemos
irnos sin él, y en esto estaré fijo;
es el flagelo de poetas memos, 310
y echará a puntillazos del Parnaso
los malos que esperamos y tememos.
—¡Oh señor, repliqué, que tiene el paso
corto y no llegará en un siglo entero!
—Deso, dijo Mercurio, no hago caso, 315
que el poeta que fuere caballero,
sobre una nube entre pardilla y clara
vendrá muy a su gusto caballero.
—Y el que no, pregunté, ¿qué le prepara
Apolo? ¿Qué carrozas, o qué nubes? 320
¿Qué dromerio, o alfana en paso rara?
—Mucho, me respondió, mucho te subes

303 *válidos supuestos*: esforzados individuos.
307 "Verso censurable por flojo; tanto que algunos editores, Rojas entre ellos, han añadido un *el* para remediarlo: *ése es el hijo...*" R. M.
308 *Calíope* o *Caliope*, pues ambas pronunciaciones eran posibles. La métrica no permite decidir cuál sería la pronunciación de Cervantes.
310 *flagelo*: Más parece latinismo que italianismo, como quiere R. M. Cervantes alude sin duda a la obra de Quevedo, *Premática del desengaño contra los poetas güeros, chirles y hebenes.*
312 *tememos*: El texto, por errata, *tenemos.*
314 Por ser cojo Quevedo.
316 *el*: El texto, por errata, *al.*
320 *el que no... ¿qué le prepara Apolo?*: anacoluto. Ver I, 5.
322 *dromerio*: Muchos editores enmiendan *dromedario.* R. M. conjetura que Cervantes pudo forjar *dromerio* de *dromas, adis* (δρομάς).

en tus preguntas; calla y obedece.
—Sí haré, pues *no es infando lo que jubes.*
Esto le respondí, y él me parece 325
que se turbó algún tanto; y en un punto
el mar se turba, el viento sopla y crece.
Mi rostro entonces, como el de un difunto
se debió de poner, y sí haría,
que soy medroso, a lo que yo barrunto. 330
Vi la noche mezclarse con el día;
las arenas del hondo mar alzarse
a la región del aire, entonces fría.
Todos los elementos vi turbarse:
la tierra, el agua, el aire, y aun el fuego 335
vi entre rompidas nubes azorarse.
Y en medio deste gran desasosiego
llovían nubes de poetas llenas
sobre el bajel, que se anegara luego,
si no acudieran más de mil sirenas 340
a dar de azotes a la gran borrasca,
que hacia el saltarel por las entenas.
Una, que ser pensé Juana la Chasca,
de dilatado vientre y luengo cuello,
pintiparado a aquel de la tarasca, 345
se llegó a mí, y me dijo: —De un cabello
deste bajel estaba la esperanza
colgada, a no venir a socorrello.
Traemos, y no es burla, a la bonanza,
que estaba descuidada oyendo atenta 350
los discursos de un cierto Sancho Panza.—
En esto sosegóse la tormenta,

324 Comp. Virgilio, *Eneida,* II, 3: "Infandum, regina, jubes renovare dolorem". El verso de Cervantes es burla de los poetas culteranos.
329 *y sí haría*: y sí se pondría. Ver IV, 107.
342 *saltarel* o *saltarelo*: Baile antiguo de origen italiano.
343 *Juana la Chasca*: Carnicera popular en Madrid en tiempo de Cervantes. Ver. R. M.
345 *la tarasca*: Ver R. M., 479-491.
351 R. M. cree que en esta mención de Sancho Panza hay probable alusión a alguna persona que no sabe quién fuese. Ni falta que hace.

volvió tranquilo el mar, serenó el cielo,
que al regañón el céfiro le ahuyenta.
Volví la vista, y vi en ligero vuelo 355
una nube romper el aire claro,
de la color del condensado hielo.
¡Oh maravilla nueva! ¡Oh caso raro!
Vilo, y he de decillo, aunque se dude
del hecho que por brújula declaro. 360
Lo que yo pude ver, lo que yo pude
notar fue que la nube, dividida
en dos mitades, a llover acude.
Quien ha visto la tierra prevenida
con tal disposición que, cuando llueve 365
(cosa ya averiguada y conocida),
de cada gota en un instante breve
del polvo se levanta o sapo, o rana,
que a saltos, o despacio el paso mueve,
tal se imagine ver ¡oh soberana 370
virtud! de cada gota de la nube
saltar un bulto, aunque con forma humana.
Por no creer esta verdad estuve
mil veces; pero vila con la vista,
que entonces clara y sin legañas tuve. 375
Eran aquestos bultos, de la lista
pasada los poetas referidos,
a cuya fuerza no hay quien la resista.

353 *volvió*: volvióse. Como dice R. M., "sería disparate" que aquí volver fuese transitivo, esto es, que *la tormenta* calmase el mar.
354 *regañón*: Viento del norte o del noroeste.
357 *la color*: Voz de género ambiguo en tiempo de Cervantes, que aún hoy es femenina en el lenguaje popular.
360 *por brújula*: poco a poco. "*Brúxula*. Propiamente es el agujerito de la puntería de la escopeta... Los jugadores de naypes, que muy de espacio van descubriendo las cartas y por sola la raya antes que pinte el naype discurren la que puede ser, dizen que miran por brúxula y que bruxulean." Covarrubias.
368 Sobre la superstición de que ranas y sapos caían llovidos del cielo, ver R. M., 204.
371 *virtud*: influencia, poder.
374 *Ver con la vista*: encarecimiento pleonástico. Comp. *Ver* algo *con los propios ojos*.

Unos por hombres buenos conocidos,
otros de rumbo y hampo, y Dios es Cristo, 380
poquitos bien, y muchos mal vestidos.
Entre ellos parecióme de haber visto
a Don Antonio de Galarza el bravo,
gentilhombre de Apolo, y muy bienquisto.
El bajel se llenó de cabo a cabo, 385
y su capacidad a nadie niega
copioso asiento, que es lo más que alabo.
Llovió otra nube al gran Lope de Vega,
poeta insigne, a cuyo verso o prosa
ninguno le aventaja, ni aun le llega. 390
Era cosa de ver maravillosa
de los poetas la apretada enjambre,
en recitar sus versos muy melosa.
Éste muerto de sed, aquél de hambre;
yo dije, viendo tantos, con voz alta: 395
—¡Cuerpo de mí con tanta poetambre!—
Por tantas sobras conoció una falta
Mercurio, y acudiendo a remedialla,
ligero en la mitad del bajel salta.
Y con una zaranda que allí halla, 400
no sé si antigua o si de nuevo hecha,

380 *rumbo*: ostentación, pompa, jactancia. *hampo*: hampa; *hombre... de Dios es Cristo* (o *que vive a la de Dios es Cristo*): alborotador, valentón, pendenciero. Cervantes usó esta expresión frecuentemente. Por ej., *El gallardo español*, Jorn. II: "Y yo, que a lo de Marte me acomodo /y a lo de Dios es Cristo, doy por tierra / con todo el bodegón, si con floreos / responden a mis gustos y deseos".
382 *parecióme de*: Hoy sobraría este *de*.
387 *que es lo más que alabo*: que es lo que más alabo.
388 Obsérvese este uso de *llover* como transitivo. Comp. *Quijote*, I, 22: los galeotes "comenzaron a llover tantas piedras sobre don Quijote...".
392 *la enjambre*: Voz femenina en tiempo de Cervantes.
396 *¡Cuerpo de mí!*: Juramento eufemístico, por ¡Cuerpo de Dios!; *poetambre*: neologismo despectivo forjado por Cervantes: "conjunto de poetastros", como lo traduce Román, *Diccionario de chilenismos*. Es cierto que *poetambre* (comp. *cochambre*, etc.) no significa "poetas hambrientos", como supusieron Terreros (*Diccionario*), Aicardo y Guardia, citados por R. M. Pero cabe pensar que la idea de "hambre" cruzase por la mente de Cervantes al acuñar la palabra.

zarandó mil poetas de gramalla.
Los de capa y espada no desecha,
y destos zarandó dos mil y tantos;
que fue neguilla entonces la cosecha. 405
Colábanse los buenos y los santos,
y quedábanse arriba los granzones,
más duros en sus versos que los cantos.
Y sin que les valiesen las razones
que en su disculpa daban, daba luego 410
Mercurio al mar con ellos a montones.
Entre los arrojados se oyó un ciego,
que murmurando entre las ondas iba
de Apolo con un pésete y reniego.
Un sastre (aunque en sus pies flojos estriba, 415
abriendo con los brazos el camino)
dijo: —¡Sucio es Apolo, así yo viva!—
Otro (que al parecer iba mohíno,
con ser un zapatero de obra prima) 420
dijo dos mil, no un solo desatino.
Trabaja un tundidor, suda, y se anima
por verse a la ribera conducido,
que más la vida que la honra estima.
El escuadrón nadante, reducido
a la marina, vuelve a la galera 425
el rostro, con señales de ofendido.
Y [u]no por todos dijo: —Bien pudiera
ese chocante embajador de Febo

414 *pésete y reniego*: Comp. *Quijote,* I, 15: "Y despidiendo treinta ayes, y sesenta sospiros, y ciento y veinte pésetes y reniegos de quien allí le había traído...". La voz *pésetes* se ha estragado en *pestes* (*echar pestes*). Los *pésetes* y *reniegos* podían ser casos de Inquisición. Ver R. M., ed. del *Quijote,* 1947, t. I, p. 416, n. 3 y t. II, p. 8, n. 2.

415 Medina y R. M. tienen por casi seguro que Cervantes alude aquí al *Sastre de Toledo* (¿un tal Juan Martínez?), autor dramático, despectivamente citado también por Suárez de Figueroa, Esteban Manuel de Villegas y Quevedo.

417 *¡así yo viva!*: ¡por mi vida!

419 *zapatero de obra prima*: Zapatero de nuevo, y no remendón.

425 *la marina*: la costa.

428 *chocante*: colérico, violento. R. M. traduce "antipático, o desangelado", sentido que no parece el más propio en este pasaje, ni en este otro de *El laberinto de amor,* Jorn. I:

tratarnos bien, y no desta manera.
  Mas oigan lo que dijo: —Yo me atrevo 430
a profanar del monte la grandeza
con libros nuevos, y en estilo nuevo.
  Calló Mercurio, y a poner empieza
con gran curiosidad seis camarines,
dando a la gracia ilustre rancho y pieza. 435
  De nuevo resonaron los clarines;
y así Mercurio, lleno de contento,
sin darle mal agüero los delfines,
remos al agua dio, velas al viento.

"y aun nos han dado mal rato / dos bonitos estudiantes, / que tienen más de chocantes / que no de letras su trato".

435 *rancho*: sitio, lugar.

438 "Dizen ser certísima señal de tempestad, quando andan saltando [los delfines] por encima de las aguas." Plinio, *Historia Natural,* IX, 8. Traducción de G. de la Huerta, 1603. Desde entonces este agüero lo han recordado innumerables poetas, y ha pasado al refranero vulgar.

CAPÍTULO III

Eran los remos de la real galera
de esdrújulos, y dellos compelida
se deslizaba por el mar ligera.
Hasta el tope la vela iba tendida,
hecha de muy delgados pensamientos, 5
de varios lizos por amor tejida.
Soplaban dulces y amorosos vientos,
todos en popa, y todos se mostraban
al gran vïaje solamente atentos.
Las sirenas en torno navegaban, 10
dando empellones al bajel lozano,
con cuya ayuda en vuelo le llevaban.
Semejaban las aguas del mar cano
colchas encarrujadas, y hacían
azules visos por el verde llano. 15
Todos los del bajel se entretenían:
unos glosando pies dificultosos,
otros cantaban, otros componían.
Otros de los tenidos por curiosos
referían sonetos, muchos hechos 20

6 *lizos*: hilos fuertes que sirven de urdimbre para ciertos tejidos. Comp. *Quijote,* I, 47: "...una tela de varios y hermosos *lizos* [no *lazos,* como han impreso varios editores] tejida".

20 *referían*: no creo que esté por *recitaban,* como apunta R. M., "por evitar la repetición", ya que *recitar* se emplea seis versos después. Ver II, 291.

a diferentes casos amorosos.
Otros alfeñicados y deshechos
en puro azúcar, con la voz süave,
de su melifluidad muy satisfechos,
en tono blando, sosegado y grave, 25
églogas pastorales recitaban,
en quien la gala y la agudeza cabe.
Otros de sus señoras celebraban,
en dulces versos, de la amada boca
los excrementos que por ella echaban. 30
Tal hubo a quien amor así le toca,
que alabó los riñones de su dama
con gusto grande y no elegancia poca.
Uno cantó que la amorosa llama
en mitad de las aguas le encendía, 35
y como toro agarrochado brama.
Desta manera andaba la Poesía
de en uno en otro, haciendo que hablase
éste latín, aquél algarabía.
En esto sesga la galera, vase 40
rompiendo el mar con tanta ligereza,
que el viento aun no consie[n]te que la pase.
Y en esto descubrióse la grandeza
de la escombrada playa de Valencia,
por arte hermosa y por naturaleza. 45
Hizo luego de sí grata presencia
el gran Don Luis Ferrer, marcado el pecho

26 La literatura pastoril atrajo a Cervantes durante toda su vida. No es de extrañar que hasta el final de ella acariciase el proyecto de concluir su *Galatea.*
35 Pese a la burla de este imposible, el propio Cervantes escribió en *Los baños de Argel,* Jorn. I: "Arrojando las armas, arrojéme / al mar, en amoroso fuego ardiendo...". Ver Introducción, p. 9.
38 Así, *de en uno en otro* (no *de uno en otro*). Comp. *Quijote,* II, 25: "y fue cundiendo el rebuzno de en uno en otro pueblo". Ver R. M., ed. cit. del *Quijote,* t. V, p. 218, n. 3 y p. 301, n. 10.
39 *algarabía*: árabe.
42 Hipérbaton: que no consiente que aun el viento la pase.
44 *escombrada*: despejada, libre de obstáculos. Comp. el autorretrato de Góngora: "...la frente espaciosa, / escombrada y limpia...".

de honor, y el alma de divina ciencia.
Desembarcóse el dios, y fue derecho
a darle cuatro mil y más abrazos, 50
de su vista y su ayuda satisfecho.
Volvió la vista, y reiteró los lazos
en Don Guillén de Castro, que venía
deseoso de verse en tales brazos.
Cristóbal de Virués se le seguía, 55
con Pedro de Aguilar, junta famosa
de las que Turia en sus riberas cría.
No le pudo llegar más valerosa
escuadra al gran Mercurio, ni él pudiera
desearla mejor ni más honrosa. 60
Luego se descubrió por la ribera
un tropel de gallardos valencianos,
que a ver venían la sin par galera;
todos con instrumentos en las manos
de estilos y librillos de memoria, 65
por bizarría y por ingenio ufanos,
codiciosos de hallarse en la vitoria,
que ya tenían por segura y cierta,
de las heces del mundo y de la escoria.
Pero Mercurio les cerró la puerta, 70
digo, no consintió que se embarcasen,
y el por qué no lo dijo, aunque se acierta.
Y fue, porque temió que no se alzasen,
siendo tantos y tales, con Parnaso,
y nuevo imperio y mando en él fundasen. 75
En esto vióse con brioso paso
venir al magno Andrés Rey de Artieda,
no por la edad descaecido o laso;

56 No Pedro de Aguilar, sino Gaspar de Aguilar, el conocido poeta y comediógrafo valenciano.
65 "*Estilo. Latine stylus*; es nombre griego y vale tanto como colunilla delgada, y porque en los libros de memoria o tablas enceradas rascuñavan las letras con unos punçones de hierro, que tenían forma de colunillas, se toma *estilo* por la plumilla de hierro..." Covarrubias. Sobre los *libros de memorias* y los *estilos,* ver R. M.
71 *Digo*: Rectificación retórica, usual en Cervantes.
73 *no* redundante hoy.

hicieron todos espaciosa rueda,
y, cogiéndole en medio, le embarcaron, 80
más rico de valor que de moneda.
Al momento las áncoras alzaron,
y las velas, ligadas a la entena,
los grumetes apriesa desataron.
De nuevo por el aire claro suena 85
el son de los clarines, y de nuevo
vuelve a su oficio cada cual sirena.
Miró el bajel por entre nubes Febo,
y dijo en voz que pudo ser oída:
—Aquí mi gusto y mi esperanza llevo.— 90
De remos y sirenas impelida
la galera se deja atrás el viento,
con milagrosa y próspera corrida.
Leíase en los rostros el contento
que llevaban los sabios pasajeros, 95
durable por no ser nada violento.
Unos por el calor iban en cueros;
otros, por no tener godescas galas,
en traje se vistieron de romeros.
Hendía en tanto las neptúneas salas 100
la galera, del modo como hiende
la grulla el aire con tendidas alas.
En fin, llegamos donde el mar se extiende,
y ensancha y forma el golfo de Narbona,
que de ningunos vientos se defiende. 105
Del gran Mercurio la cabal persona,
sobre seis resmas de papel sentada,
iba con cetro y con real corona;

86 *por el aire claro suena / el son de los clarines*: Aquí, como en otros pasajes del *Viaje*, creo percibir una difusa influencia de Fray Luis de León. Comp., por ej., "Profecía del Tajo": "...al cielo toca / con temeroso son la trompa fiera...". Obsérvese también el juego "aire *claro* y "*clarines*".
96 Comp. el aforismo latino *Nihil violentum durabile.*
98 *godescas*: Ver II, 104.
104 *golfo de Narbona* o *de la Nouvelle*: el comprendido entre el cabo de Leucate y el de San Pedro. Ver M. Romera Navarro, "El golfo de Narbona y la isla infame en el *Viaje del Parnaso* de Cervantes", *Hispanic Review*, V, 1937, pp. 79-81.

cuando una nube, al parecer preñada,
parió cuatro poetas en crujía, 110
o los llovió, razón más concertada.
Fue el uno aquel de quien Apolo fía
su honra, Juan Luis de Casanate,
poeta insigne de mayor cuantía;
el mismo Apolo de su ingenio trate, 115
él le alabe, él le premie y recompense,
que el alabarle yo sería dislate.
Al segundo llovido, el uticense
Catón no le igualó, ni tiene Febo
que tanto por él mire, ni en él piense. 120
Del contador Gaspar de Bar[r]ionuevo
mal podrá el corto flaco ingenio mío
loar el suyo así como yo debo.
Llenó del gran bajel el gran vacío
el gran Francisco de Rioja, al punto 125
que saltó de la nube en el navío.
A Cristóbal de Mesa vi allí junto
a los pies de Mercurio, dando fama
a Apolo, siendo dél propio trasumpto.
A la gavia un grumete se encarama, 130
y dijo a voces: —La ciudad se muestra
que Génova, del dios Jano, se llama.

111 "El cuidado de Cervantes por matizar con exactitud su expresión no deja de ser de lo más divertido del poema, cuando, como en este caso, persigue una intención de pura ironía." (Del Campo.) Para *llover,* transitivo (*los llovió*), ver II, 388.
117 *sería*: Hay que acentuarlo *seriá,* deshaciendo el hiato, para que haya endecasílabo.
119 *el uticense Catón*: Catón de Útica (95-46 a. de C.). Político romano, partidario de Pompeyo, que después de Farsalia se retiró a África, y tras la derrota de las fuerzas republicanas en Tapso, se suicidó en Útica.
120 *que*: R. M. enmienda *quien.*
125 El triple *gran* es burla de la presunción que tenía Francisco de Rioja.
132 Falsa etimología, pero aceptada en tiempo de Cervantes. "El padre Pineda, en su *Monarchia,* entre otras muchas cosas que dize de Génova alega que fue fundada por Jano o Noé, del qual tomó el nombre, libro I, capítulo 19, 3." Covarrubias, s.v. *Ginoveses.*

—Déjesele la ciudad a la siniestra
mano, dijo Mercurio; el bajel vaya,
y siga su derrota por la diestra.— 135

Hacer al Tíber vimos blanca raya
dentro del mar, habiendo ya pasado
la ancha romana y peligrosa playa.

De lejos vióse el aire condensado
del humo que el Estrómbalo vomita, 140
de azufre, y llamas, y de horror formado.

Huyen la isla infame, y solicita
el suave poniente así el viaje,
que lo acorta, lo allana y facilita.

Vímonos en un punto en el paraje 145
do la nutriz de Eneas pïadoso
hizo el forzoso y último pasaje.

Vimos desde allí a poco el más famoso
monte que encierra en sí nuestro emisfero,
más gallardo a la vista y más hermoso. 150

Las cenizas de Títiro y Sincero
están en él, y puede ser por esto
nombrado entre los montes por primero.

Luego se descubrió donde echó el resto
de su poder Naturaleza, amiga 155
de formar de otros muchos un compuesto.

Vióse la pesadumbre sin fatiga
de la bella Parténope, sentada
a la orilla del mar, que sus pies liga,

140 *Estrómbalo*: Stromboli, en el Tirreno, la más septentrional de las islas Lípari o archipiélago de Sicilia. Ver B. Croce.
142 *la isla infame*: Capri, por el recuerdo que en ella dejó el emperador Tiberio. Ver R. M.
144 *así...que*: del tal modo...que.
146 La *nutriz* o nodriza de Eneas es Caieta, hoy Gaeta. Ver *Eneida,* VII, 1 ss.
149 *emisfero*: italianismo.
153 Alusión a la colina de Posilipo, sepultura de Virgilio (*Títiro*) y de Sannazaro (*Sincero*). Ver. B. Croce.
154 *echar el resto*: Expresión figurada, tomada de los juegos de naipes. Cervantes la usó con mucha frecuencia en sus obras.
158 *Parténope*: Antiguo nombre de Nápoles, por el de la sirena así llamada.

de castillos y torres coronada, 160
por fuerte y por hermosa en igual grado
tenida, conocida y estimada.
Mandóme el del alígero calzado
que me aprestase y fuese luego a tierra
a dar a los Lupercios un recado, 165
en que les diese cuenta de la guerra
temida, y que a venir les persuadiese
al duro y fiero asalto, al cierra, cierra.
—Señor, le respondí, si acaso hubiese
otro que la embajada les llevase, 170
que más grato a los dos hermanos fuese
que yo no soy, sé bien que negociase
mejor—. Dijo Mercurio: —No te entiendo,
y has de ir antes que el tiempo más se pase.
—Que no me han de escuchar estoy temiendo, 175
le repliqué, y así el ir yo no importa,
puesto que en todo obedecer pretendo.
Que no sé quién me dice y quién me exhorta
que tienen para mí, a lo que imagino,
la voluntad, como la vista, corta. 180
Que si esto así no fuera, este camino
con tan pobre recámara no hiciera

160 "Allude al Castel S. Elmo, che corona Napoli, e a quelli dell'Ovo, Novo e del Carmine, e alle molte torri che cingevano la citta dal lato del mare, per non menzionare il vecchio Castel Capuano e la torri dal lato di terra." B. Croce.

165 *los Lupercios*: No fue Cervantes el único en llamar a los Argensola *los Lupercios,* por los *Leonardos*: Lupercio y Bartolomé Leonardo de Argensola. Ver R.M.

168 *cierra, cierra*: *Cierra,* de *cerrar,* en la acepción militar de "atacar". Así, en el famoso "¡Santiago, y cierra, España!". Como grito de guerra, solía repetirse. Comp. Guillén de Castro, *Las mocedades del Cid* (Comedia 2.ª), Jorn. I: "¡España! ¡Santiago! ¡Cierra, cierra!...".

172 *no* redundante.

176 *y así*: El texto, *ya si,* que no hace sentido. La corrección es de R. M.

180 Alude Cervantes al incumplimiento de las promesas que los Argensola le habían hecho de incorporarlo al séquito del conde de Lemos, recientemente nombrado virrey de Nápoles.

182 *Recámara*: "el aparato que lleva un señor de camino". Covarrubias.

ni diera en un tan hondo desatino.
Pues si alguna promesa se cumpliera
de aquellas muchas que al partir me hicieron, 185
lléveme Dios si entrara en tu galera.
Mucho esperé, si mucho prometieron,
mas podía ser que ocupaciones nuevas
les obligue a olvidar lo que dijeron.
Muchos, señor, en la galera llevas 190
que te podrán sacar el pie del lodo.
Parte, y excusa de hacer más pruebas.
—Ninguno, dijo, me hable dese modo,
que si me desembarco y los embisto,
voto a Dios, que me traiga al conde y todo. 195
Con estos dos famosos me enemisto,
que, habiendo levantado a la Poesía
al buen punto en que está, como se ha visto,
quieren con perezosa tiranía
alzarse, como dicen, a su mano 200
con la ciencia que a ser divinos guía.
¡Por el solio de Apolo soberano
juro!... y no digo más; y, ardiendo en ira,
se echó a las barbas una y otra mano.
Y prosiguió diciendo: —El Dotor Mira, 205
apostaré, si no lo manda el conde,
que también en sus puntos se retira.

188 *podía* es "errata evidente" para R. M., que enmienda *podrá,* mejorando el endecasílabo y la sintaxis, o conformándola al uso actual: "A decir *podía* diría después *les obligase,* y no *les obligue*". (O, más exactamente, *les obliguen*: el sujeto está en plural, como reconoce el propio R. M.). Yo no altero el texto porque la sintaxis de Cervantes no es rigurosa, ni *les obligase* cabría en el endecasílabo.
195 *al conde* de Lemos, citado poco después. —"Es gracioso oír un *voto a Dios* en boca de Mercurio." R. M.
200 *alzarse*: "Alçarse en el juego, dexarle yendo con ganancia, sin esperar que los contrarios se puedan desquitar". Covarrubias.
203 *...y no digo más*: "era, señaladamente en Sevilla, reticencia común entre la gente arrufianada y matonesca". R. M.; *ardiendo en ira*: Comp. Fray Luis de León, "Las Serenas a Cherinto": "O arde oso en ira, / o hecho jabalí gime y suspira". Ver IV, 558, VII, 20 y VIII, 95.
207 *Retirarse uno en sus puntos* equivale al *alzarse* de siete versos arriba.

Señor galán, parezca; ¿a qué se asconde?
Pues a fee, por llevarle, si él no gusta,
que ni le busque, aseche ni le ronde. 210
¿Es esta empresa acaso tan injusta
que se esquiven de hallar en ella cuantos
tienen conciencia limitada y justa?
¿Carece el cielo de poetas santos,
puesto que brote a cada paso el suelo 215
poetas, que lo son tantos y tantos?
¿No se oyen sacros himnos en el cielo?
¿La arpa de David allá no suena,
causando nuevo acidental consuelo?
¡Fuera melindres! ¡Ícese la entena, 220
que llegue al tope!—; y luego obedecido
fue de la chusma sobre buenas buena.
Poco tiempo pasó, cuando un ruido
se oyó, que los oídos atronaba,
y era de perros áspero ladrido. 225
Mercurio se turbó, la gente estaba
suspensa al triste son, y en cada pecho
el corazón más válido temblaba.
En esto descubrióse el corto estrecho
que Escila y que Caribdis espantosas 230
tan temeroso con su furia han hecho.
—Estas olas que veis presunt[u]osas
en visitar las nubes de contino,

208 *Señor galán*: Este mismo tratamiento dio Don Quijote al Caballero del Verde Gabán (II, 16) y al mancebito que iba a la guerra (II, 24); *asconde*: forma latinizante (de *abscondere*).
212 *hallar*, por *hallarse*, sin repetición del pronombre *se*, que ya lo lleva *se esquiven*.
213 *limitada*: estrecha.
220 *Ícese*: El texto, *y cese*, errata que, por descuido, mantiene Bonilla. La enmienda se debe a Rosell.
225 Alusión a *Scila*, nombrada enseguida. "Hija de Forco, labradora Scyla, / desde Sicilia hasta Cádiz ladra..." Mira de Amescua, citado por R. M.
230 *Escila* y *Caribdis*: La mención de *Escila* y *Caribdis* —dos rocas situadas en el estrecho de Mesina—, que aparece ya en Homero, es un tópico de la poesía de la época, que aparece con frecuencia en Cervantes.
231 *temeroso*: temible.

y aun de tocar el cielo codiciosas,
 venciólas el prudente peregrino 235
amante de Calipso, al tiempo cuando
hizo, dijo Mercurio, este camino.
 Su prudencia nosotros imitando,
echaremos al mar en que se ocupen,
en tanto que el bajel pasa volando, 240
 que en tanto que ellas tasquen, roan, chupen
al mísero que al mar ha de entregarse,
seguro estoy que el paso desocupen.
 Miren si puede en la galera hallarse
algún poeta desdichado acaso, 245
que a las fieras gargantas pueda darse.—
 Buscáronle, y hallaron a Lofraso,
poeta militar, sardo, que estaba
desmayado a un rincón, marchito y laso;
 que a sus *Diez libros de Fortuna* andaba 250
añadiendo otros diez, y el tiempo escoge
que más desocupado se mostraba.
 Gritó la chusma toda: —¡Al mar se arroje;
vaya Lofraso al mar sin resistencia!
—Por Dios, dijo Mercurio, que me enoje. 255
 ¿Cómo y no será cargo de conciencia,
y grande, echar al mar tanta poesía,
puesto que aquí nos hunda su inclemencia?
 Viva Lofraso, en tanto que dé al día
Apolo luz, y en tanto que los hombres 260
tengan discreta alegre fantasía.
 Tócante a ti, ¡oh Lofraso!, los renombres
y epítetos de agudo y de sincero,

235 En *estas olas*... *venciólas* no hay el anacoluto que pretende R. M.
236 *amante de Calipso*: Ulises.
246 Sobre la superstición de creer que la furia del mar se aplacaba arrojándole una víctima, ver R. M., 493-500.
250 De Lofraso y de su obra *Los diez libros de Fortuna de amor* (1573) ya se había burlado Cervantes en el *Quijote*, I, 6.
256 Para la construcción *¿cómo y...*, ver R. M.
257 *tanta poesía*: "irónicamente en el sentido de cantidad, no de valor literario" (Del Campo).

y gusto que mi cómitre te nombres.—
Esto dijo Mercurio al caballero, 265
el cual en la crujía en pie se puso
con un rebenque despiadado y fiero.
Creo que de sus versos le compuso,
y no sé cómo fue, que, en un momento
(o ya el cielo, o Lofraso lo dispuso), 270
salimos del estrecho a salvamento,
sin arrojar al mar poeta alguno:
¡tanto del sardo fue el merecimiento!
Mas luego otro peligro, otro importuno
temor amenazó, si no gritara 275
Mercurio, cual jamás gritó ninguno,
diciendo al timonero: —¡A orza, para,
amáinese de golpe!—; y todo a un punto
se hizo, y el peligro se repara.
Estos montes que veis, que están tan juntos, 280
son los que Acroceraunos son llamados,
de infame nombre, como yo barrunto.
Asieron de los remos los honrados,
los tiernos, los melifluos, los godescos,
y los de a cantimplora acostumbrados. 285
Los fríos los asieron y los frescos;
asiéronlos también los calurosos,
y los de calzas largas y greguescos.

282 *Acroceraunos... de infame nombre: Acroceraunii montes* (hoy Tschika o Jimarra), cadena montañosa del Epiro. Aparecen citados en la *Eneida,* III, 506-7. Horacio, *Carmina,* I, Oda III, los llama *infames (infameis scropulos Acroceraunia),* porque atraían los rayos (*Acroceraunii* viene de ἄκρος : lo más alto, y κεραυνός : trueno, rayo). Bonilla cita el pasaje siguiente de un soneto de Góngora: "Las hojas inflamó de un alhelí, / y los Acroceraunos montes no. / ¡Oh Júpiter! ¡Oh tú, mil veces tú!".
284 *los godescos*: Ver II, 104.
285 *y los de a cantimplora acostumbrados*: los aficionados al placer de las bebidas frías. R. M. omite el *de,* sin más. En rigor, sobra, pero su uso es explicable: *acostumbrados* = los que tenían la costumbre *de* beber en cantimplora.
288 *greguescos*: Para *greguescos* (calzones anchos), mejor que *gregüescos,* ver R. M. Corominas, s. v. *gresca,* escribe: "la pronunciación más asegurada en el s. XVII es sin la *u*..., y

Del sopraestante daño temerosos,
todos a una la galera empujan 290
con flacos y con brazos poderosos.
Debajo del bajel se somurmujan
las sirenas que dél no se apartaron,
y a sí mismas en fuerza sobrepujan.
Y en un pequeño espacio le llevaron 295
a vista de Corfú, y a mano diestra
la isla inexpugnable se dejaron.
Y dando la galera a la siniestra,
discurría de Grecia las riberas,
adonde el cielo su hermosura muestra. 300
Mostrábanse las olas lisonjeras,
impeliendo el bajel süavemente,
como burlando con alegres veras.
Y luego, al parecer por el oriente
rayando el rubio sol nuestro horizonte 305
con rayas rojas, hebras de su frente,
gritó un grumete y dijo: —El monte, el monte,
el monte se descubre donde tiene
su buen rocín el gran Belorofonte.
Por el monte se arroja, y a pie viene 310
Apolo a recebirnos.— Yo lo creo,

---

la otra debida a un tardío error de pronunciación (1734), cuando se anticuó el vocablo".

289 *sopraestante* (italianismo): "inminente".

294 *y a sí mismas*: El texto, *y assí mismas*.

295 *le*: El texto, por errata: *la*.

297 *la isla inexpugnable*: Malta, llamada inexpugnable por la resistencia opuesta a los turcos.

299 *discurría*: recorría.

308 *El monte, el monte, el monte*: "Era antigua costumbre en las navegaciones anunciar la cercanía de la tierra, al divisarla con triple grito". R. M. No es de suponer que fuese por reminiscencia de este verso por lo que F. García Lorca inició así el romance "San Miguel (Granada)": "Se ven desde las barandas, / por el monte, monte, monte...".

309 el *buen rocín* de *Belorofonte*: Pegaso, montado en el cual, Belorofonte mató a la Quimera. No enmiendo como R. M., *Belerofonte* porque Cervantes era negligente en esta clase de citas, y no es, pues, segura errata. *Belorofonte* se lee también en el *Quijote,* II, 40.

dijo Lofraso, y llega a la Hipocrene.
Yo desde aquí columbro, miro y veo
que se andan solazando entre unas matas
las Musas con dulcísimo recreo. 315
Unas antiguas son, otras novatas,
y todas con ligero paso y tardo
andan las cinco en pie, las cuatro a gatas.
—Si tú tal ves, dijo Mercurio, ¡oh sardo
poeta!, que me corten las orejas, 320
o me tengan los hombres por bastardo.
Dime: ¿por qué algún tanto no te alejas
de la ignorancia, pobretón, y adviertes
lo que cantan tus rimas en tus quejas?
¿Por qué con tus mentiras nos diviertes 325
de recebir a Apolo cual se debe,
por haber mejorado vuestras suertes?—
En esto, mucho más que el viento leve,
bajó el lucido Apolo a la marina,
a pie, porque en su carro no se atreve. 330
Quitó los rayos de la faz divina,
mostróse en calzas y en jubón vistoso,
porque dar gusto a todos determina.
Seguíale detrás un numeroso
escuadrón de doncellas bailadoras, 335
aunque pequeñas, de ademán brioso.
Supe poco después que estas señoras,
sanas las más, las menos mal paradas,
las del tiempo y del sol eran las Horas.
Las medio rotas eran las menguadas; 340

312 *Hipocrene*: Fuente del monte Helicón, en Beocia, consagrada a las musas. Se la llamó así por haber brotado bajo los cascos del caballo Pegaso.
317-318 En estos dos versos hay una bimembración: con *ligero* paso *las cinco en pie*; con paso *tardo, las cuatro a gatas.*
331 *Quitó los rayos de la faz divina*: Comp. Ovidio, *Metamorfosis,* II; I: "...At genitor circum caput omne micantes / Deposuit radios...".
332 "*en calzas y en jubón*: sin cobertura y medio desnudo, porque sobre las calzas y el jubón se pone otra ropa." Covarrubias.
339 *las Horas*: las doce hijas de Cronos.
340 *las menguadas: Horas menguadas*: tiempo fatal o desgra-

El Dios Marte, por Velázquez

Museo del Prado

El Parnaso, por N. Poussin

Museo del Prado

las sanas, las felices, y con esto
eran todas en todo apresuradas.
 Apolo luego con alegre gesto
abrazó a los soldados que esperaba
para la alta ocasión que se ha propuesto. 345
 Y no de un mismo modo acariciaba
a todos, porque alguna diferencia
hacía con los que él más se alegraba.
 Que a los de señoría y excelencia
nuevos abrazos dio, razones dijo, 350
en que guardó decoro y preeminencia.
 Entre ellos abrazó a Don Juan de Arguijo,
que no sé en qué, o cómo, o cuándo hizo
tan áspero viaje y tan prolijo.
 Con él a su deseo satisfizo 355
Apolo, y confirmó su pensamiento,
mandó, vedó, quitó, hizo y deshizo.
 Hecho, pues, el sin par recebimiento,
do se halló Don Luis de Barahona,
llevado allí por su merecimiento, 360
 del siempre verde lauro una corona
le ofrece Apolo en su intención, y un vaso
del agua de Castalia y de Helicona.
 Y luego vuelve el majestoso paso,
y el escuadrón pensado y de repente 365
le sigue por las faldas del Parnaso.
 Llegóse, en fin, a la Castalia fuente,

---

ciado. Ver R. M., ed. cit. del *Quijote*, t. IX, Apéndice XIII: "Las supersticiones en el *Quijote*", pp. 199-200.

345 *(alta) ocasión*: batalla. Comp. *Quijote*, II, prólogo: "la más alta ocasión que vieron los siglos pasados..." (Lepanto).

357 Comp. *Quijote*, II, 20: "Todo cuanto quiero puedo, / aunque quiera lo imposible, / y en todo lo que es posible / mando, quito, pongo y vedo". Es probable fórmula de tipo jurídico. Ver R. M. Comp. también *Quijote*, I, versos preliminares: "Rompí, corté, abollé, y dije y hice".

363 *Castalia*: Fuente consagrada a las musas, cuyas aguas inspiraban a los poetas. *Helicona*: Fuente situada en el monte Helicón, en Beocia.

364 *majestoso*: italianismo.

365 Poetas *de pensado*: los que escribían despacio y atentamente; poetas *de repente*: los improvisadores orales. Ver R. M.

y, en viéndola, infinitos se arrojaron,
sedientos, al cristal de su corriente.
Unos no solamente se hartaron, 370
sino que pies y manos y otras cosas
algo más indecentes se lavaron.
Otros, más advertidos, las sabrosas
aguas gustaron poco a poco, dando
espacio al gusto, a pausas melindrosas. 375
El bríndez y el caraos se puso en bando,
porque los más de bruces, y no a sorbos,
el süave licor fueron gustando.
De ambas manos hacían vasos corvos
otros, y algunos de la boca al agua 380
temían de hallar cien mil estorbos.
Poco a poco la fuente se desagua
y pasa en los estómagos bebientes,
y aun no se apaga de su sed la fragua.
Mas díjoles Apolo: —Otras dos fuentes 385
aun quedan, Aganipe e Hipocrene,
ambas sabrosas, ambas excelentes;
cada cual de licor dulce y perene,
todas de calidad aumentativa
del alto ingenio que a gustarlas viene.— 390
Beben, y suben por el monte arriba,
por entre palmas, y entre cedros altos,
y entre árboles pacíficos de oliva.
De gusto llenos y de angustia faltos,
siguiendo a Apolo el escuadrón camina, 395
unos a pedicoj, otros a saltos.
Al pie sentado de una antigua encina
vi a Alonso de Ledesma, componiendo
una canción angélica y divina.

376 *El bríndez y el caraos se puso en bando: Bríndez*: "brindis", de la frase alemana *ich bring dir's; caraos, caraus* o "*carauz*, palabra tudesca [del alemán *gar aus*], introduzida en España, quando se brindan unos a otros y vale tanto como acabar el vaso y beverle todo". Covarrubias. Ver R. M., 501-511. *Poner en bando*: desechar, desterrar (italianismo).

381 Comp. el refrán, citado por R. M.: "De la mano a la boca, se pierde la sopa".

Conocíle, y a él me fui corriendo 400
con los brazos abiertos como amigo,
pero no se movió con el estruendo.
—¿No ves, me dijo Apolo, que consigo
no está Ledesma ahora? ¿No ves claro
que está fuera de sí y está conmigo?— 405
A la sombra de un mirto, al verde amparo,
Jerónimo de Castro sesteaba,
varón de ingenio peregrino y raro.
Un motete imagino que cantaba
con voz süave; yo quedé admirado 410
de verle allí, porque en Madrid quedaba.
Apolo me entendió, y dijo: —Un soldado
como éste no era bien que se quedara
entre el ocio y el sueño sepultado.
Yo le truje, y sé cómo, que a mi rara 415
potencia no la impide otra ninguna,
ni inconviniente alguno la repara.—
En esto se llegaba la oportuna
hora, a mi parecer, de dar sustento
al estómago pobre, y más si ayuna. 420
Pero no le pasó por pensamiento
a Delio, que el ejército conduce,
satisfacer al mísero hambriento.
Primero a un jardín rico nos reduce,
donde el poder de la Naturaleza 425
y el de la industria más campea y luce.
Tuvieron los Hespérides belleza

400 *conocíle*: reconocíle.
412 "Mal verso, por la sinalefa obstruccionista que hay en la sexta sílaba métrica." R. M.
414 Comp. Fray Luis de León, "Noche serena": "...y miro hacia el suelo, / de noche rodeado, / en sueño y en olvido sepultado". Y F. de Herrera, *Soneto L*: "... en olvido sepultado".
421 Hoy diríamos "no le pasó por *el pensamiento*". Pero Cervantes no omitió el artículo por necesidad métrica. Comp. *Quijote*, I, 13: "No quiero yo decir, ni me pasa por pensamiento...".
422 *Delio*: Natural de Delos, esto es, Apolo.
427 *los Hespérides*: El famoso jardín custodiado por las hermanas de este nombre y por un dragón. Tenía manzanas de oro, que robó Hércules tras matar al dragón.

menor; no le igualaron los Pensiles
en sitio, en hermosura y en grandeza.
En su comparación se muestran viles 430
los de Alcinoo, en cuyas alabanzas
se han ocupado ingenios bien sotiles.
No sujeto del tiempo a las mudanzas,
que todo el año primavera ofrece
frutos en posesión, no en esperanzas. 435
Naturaleza y arte allí parece
andar en competencia, y está en duda
cuál vence de las dos, cuál más merece.
Muéstrase balbuciente y casi muda,
si le alaba la lengua más experta, 440
de adulación y de mentir desnuda.
Junto con ser jardín, era una huerta,
un soto, un bosque, un prado, un valle ameno,
que en todos estos títulos concierta,
de tanta gracia y hermosura lleno, 445
que una parte del cielo parecía
el todo del bellísimo terreno.
Alto en el sitio alegre Apolo hacía,
y allí mandó que todos se sentasen
a tres horas después de mediodía. 450
Y por que los asientos señalasen

428 *los Pensiles*: Los jardines colgantes de Babilonia que se dice que mandó construir Semíramis, la legendaria reina de Asiria, y que se consideraban como una de las siete maravillas del mundo.
431 *Alcinoo*: El texto, *Alcino, ô.*
432 *ingenios bien sotiles*: Homero, Virgilio, Ovidio, etc., todos los cuales ponderaron las maravillas de los jardines de Alcinoo, rey de los feacios.
435 Comp. Fray Luis de León, "Vida retirada": "Del monte en la ladera / por mi mano plantado tengo un huerto, / que con la primavera / de bella flor cubierto / ya muestra en esperanza el fruto cierto".
437 *parece andar*: parece que andan.
441 Comp. este terceto con el siguiente de la "Epístola a Mateo Vázquez": "Mi lengua balbuciente y casi muda / pienso mover en la real presencia, / de adulación y de mentir desnuda", Terceto que figura también en *El trato de Argel,* Jorn. I. En los dos primeros versos hay clara reminiscencia de los de Garcilaso, *Égloga III*: "mas con la lengua muerta y fría en la boca, / pienso mover la voz a ti debida".

el ingenio y valor de cada uno,
y unos con otros no se embarazasen,
a despecho y pesar del importuno
ambicioso deseo, les dio asiento 455
en el sitio y lugar más oportuno.
Llegaban los laureles casi a ciento,
a cuya sombra y troncos se sentaron
algunos de aquel número contento.
Otros los de las palmas ocuparon; 460
de los mirtos y hiedras y los robles
también varios poetas albergaron.
Puesto que humildes, eran de los nobles
los asientos cual tronos levantados,
por que tú, ¡oh envidia!, aquí tu rabia dobles. 465
En fin, primero fueron ocupados
los troncos de aquel ancho circuito,
para honrar a poetas dedicados,
antes que yo en el número infinito
hallase asiento; y así en pie quedéme, 470
despechado, colérico y marchito.
Dije entre mí: ¿Es posible que se extreme
en perseguirme la fortuna airada,
que ofende a muchos y a ninguno teme?
Y, volviéndome a Apolo, con turbada 475
lengua le dije lo que oirá el que gusta
saber, pues la tercera es acabada,
la cuarta parte desta empresa justa.

459 *...de aquel número contento*: de aquel número de los contentos. Comp. *Quijote*, I, 12: "¿Quién va allá? ¿Qué gente? ¿Es por ventura de la del número de los contentos, o de la de los afligidos?". Ver IV, 481: *número hambriento*, y VII, 351: *número escogido*.
465 *porque tú, ¡oh envidia...*: El texto, *porque tuvo embidia)...*
472 *Dije entre mí*: Comp. *Quijote*, I, 19: "Sancho... decía entre sí". Y Santa Teresa, *Camino de perfección*, LXXII: "yo me río entre mí". "Entre ti", dice todavía el personaje Mauricia la Dura en *Fortunata y Jacinta* de Galdós. Ver I, 49.
476 *gusta* (por *guste*), indicativo usual en Cervantes, no obligado, pues, por la consonancia con *justa*.

CAPÍTULO IV

Suele la indignación componer versos;
pero si el indignado es algún tonto,
ellos tendrán su todo de perversos.
De mí yo no sé más sino que prompto
me hallé para decir en tercia rima 5
lo que no dijo el desterrado a Ponto.
Y así le dije a Delio: —No se estima,
señor, del vulgo vano el que te sigue
y al árbol sacro del laurel se arrima.
La envidia y la ignorancia le persigue, 10
y así, envidiado siempre y perseguido,
el bien que espera por jamás consigue.
Yo corté con mi ingenio aquel vestido
con que al mundo la hermosa *Galatea*
salió para librarse del olvido. 15
Soy por quien *La Confusa* nada fea

1 Comp. Juvenal, I, 79: "Si natura negat, facit indignatio versum".
3 Comp. Juvenal, I, 80: "Qualemcumque potest: qualeis ego vel Cluvienus".
6 Alusión a Ovidio, desterrado a Tomis, junto al Ponto Euxino (Mar Negro). *Ponto* (como *Parnaso*), sin artículo.
10 *le persigue*: Verbo en singular con sujeto plural, concordancia frecuente en Cervantes. *La envidia y la ignorancia* = la envidia ignorante, o la ignorancia envidiosa. En este verso y en el siguiente hay clara reminiscencia de los atribuidos a Fray Luis de León: "Aquí la envidia y mentira...".
12 *por jamás*: nunca jamás.
16 *La Confusa*: Sobre esta comedia de Cervantes, al parecer perdida, ver R. M., 414-416.

pareció en los teatros admirable,
si esto a su fama es justo se le crea.
Yo, con estilo en parte razonable,
he compuesto *Comedias* que en su tiempo 20
tuvieron de lo grave y de lo afable.
Yo he dado en *Don Quijote* pasatiempo
al pecho melancólico y mohíno
en cualquiera sazón, en todo tiempo.
Yo he abierto en mis *Novelas* un camino 25
por do la lengua castellana puede
mostrar con propiedad un desatino.
Yo soy aquel que en la invención excede
a muchos, y al que falta en esta parte,
es fuerza que su fama falta quede. 30
Desde mis tiernos años amé el arte
dulce de la agradable poësía,
y en ella procuré siempre agradarte.
Nunca voló la pluma humilde mía
por la región satírica, bajeza 35
que a infames premios y desgracias guía.
Yo el soneto compuse que así empieza,
por honra principal de mis escritos:
Voto a Dios, que me espanta esta grandeza.
Yo he compuesto romances infinitos, 40
y el de *Los celos* es aquel que estimo,
entre otros que los tengo por malditos.
Por esto me congojo y me lastimo
de verme solo en pie, sin que se aplique

21 *Tener de lo grave y de lo afable*: italianismo.
23 *pasatiempo al pecho melancólico y mohíno*: Versos que, torpemente tomados al pie de la letra, han servido a mucho cervantista para sostener que Cervantes en el *Quijote* no se propuso sino escribir un libro cómico de mero entretenimiento: "Esto, y no más, se propuso lograr y creyó haber logrado Cervantes escribiendo su *Quijote*". R. M.
27 *...mostrar con propiedad un desatino*: Acerca de todo este pasaje, ver Américo Castro, *El pensamiento de Cervantes.*
29 *...que en la invención excede a muchos*: Ver Introducción, p. 12.
39 Ver Introducción, p. 13, nota 12, y p. 20.
40 *el de los Celos*: Se refiere sin duda al que comienza: "Yace donde el sol se pone...".

árbol que me conceda algún arrimo. 45
Yo estoy, cual decir suelen, puesto a pique
para dar a la estampa al gran *Pirsiles,*
con que mi nombre y obras multiplique.
Yo, en pensamientos castos y sotiles,
dispuestos en soneto de a docena, 50
he honrado tres sujetos fregoniles.
También al par de Filis mi Silena
resonó por las selvas, que escucharon
más de una y otra alegre cantilena.
Y en dulces varias rimas se llevaron 55
mis esperanzas los ligeros vientos,
que en ellos y en la arena se sembraron.

46 *a pique*: a punto.
47 *Pirsiles*: R. M. enmienda *Persiles,* a pesar de reconocer que Cervantes escribió *Sigismunda.* No siendo segura errata, mantengo el texto.
50 R. M. lee: *dispuestos en sonetos de docena,* enmendando el texto más allá de lo prudente. *De docena*: de poco precio o valor, "adocenados", voz que Corominas registra desde 1611.
51 Alude Cervantes en estos tres *sujetos* honrados por su pluma al soneto a la protagonista de *La ilustre fregona* ("Raro, humilde sujeto que levantas..."), y a los dedicados a la criada Cristina en *La entretenida,* Jorn. II ("Pluguiera a Dios que nunca aquí viniera" y "Que de un lacá- la fuerza poderó-..."). Contra Medina, R. M. supone que, aquí, *sujeto* no significa "asunto" o "tema", como otras veces, sino "individuo", "persona innominada". Y aduce el testimonio —nada de fiar— de Guardia, que tradujo "...ai rendu hommage à trois héroïnes de cuisine". Pero, como se ve, los *sujetos* honrados por Cervantes, de ser "personas", sólo serían dos, no tres: la ilustre fregona, y Cristina, a quien se dirigen dos sonetos.
52 *mi Silena*: el texto, *Mifilena,* errata que no hay que corregir por *mi Filena,* sino por *mi Silena. Silena* es el nombre pastoril de la amada de *Lauso* (el propio Cervantes) en *La Galatea* y en el romance de *los Celos* (citado en el v. 41 de este cap.). En cuanto a *Filis,* puede ser alusión a Elena Osorio, a quien Lope de Vega dio tal nombre poético, o tal vez a la doncella a quien celebra el personaje Mendino en la obra de L. Gálvez de Montalvo *El pastor de Fílida* (1582), o, por último, a la *Filis* de Francisco de Figueroa, el *Tirsi* de *La Galatea.*
53 *...resonó por las selvas*: Comp. Virgilio, *Égloga* I: "Formosam resonare doces Amaryllida silvas...".
57 "Es éste uno de los tercetos más fluidos y hermosos del *Viaje,* como ocurre siempre que Cervantes deja libre el caudal de su sentimiento" (Del Campo).

Tuve, tengo y tendré los pensamientos,
merced al cielo que a tal bien me inclina,
de toda adulación libres y exentos. 60
Nunca pongo los pies por do camina
la mentira, la fraude y el engaño,
de la santa virtud total ruina.
Con mi corta fortuna no me ensaño,
aunque por verme en pie como me veo, 65
y en tal lugar, pondero así mi daño.
Con poco me contento, aunque deseo
mucho—. A cuyas razones enojadas,
con estas blandas respondió Timbreo:
—Vienen las malas suertes atrasadas, 70
y toman tan de lejos la corriente,
que son temidas, pero no excusadas.
El bien les viene a algunos de repente,
a otros poco a poco y sin pensallo,
y el mal no guarda estilo diferente. 75
El bien que está adquerido, conservallo
con maña, diligencia, y con cordura,
es no menor virtud que el granjeallo.
Tú mismo te has forjado tu ventura,
y yo te he visto alguna vez con ella, 80
pero en el imprudente poco dura.
Mas si quieres salir de tu querella,
alegre y no confuso, y consolado,
dobla tu capa y siéntate sobre ella.

58 La aseveración enfática mediante el pretérito, presente y futuro de un mismo verbo es un rasgo del lenguaje cervantino, así en prosa como en verso. Ver ejemplos en Del Campo.
62 *la fraude*: Voz femenina en tiempo de Cervantes.
69 *Timbreo*: Apolo, llamado *Timbreo* (o *Timbrio*: *Quijote,* II), por tener un templo en Thymbria, ciudad de la Tróade.
70 *atrasadas*: de atrás.
72 Comp. *Quijote,* I, 27: "...cuando traen las desgracias la corriente de las estrellas, como vienen de alto abajo, despeñándose con furor y con violencia, no hay fuerza en la tierra que las detenga, ni industria humana que prevenirlas pueda". Ver R. M. y Del Campo para otros ejemplos.
78 *granjeallo*: El texto, por errata, *grangealla.*
79 Lugar común. Ver ejemplos en R. M., y I, 108.
81 Para el trasfondo autobiográfico de estos versos, ver Medina.

Que tal vez suele un venturoso estado, 85
cuando le niega sin razón la suerte,
honrar más merecido que alcanzado.
—Bien parece, señor, que no se advierte,
le respondí, que yo no tengo capa.—
Él dijo: —Aunque sea así, gusto de verte. 90
La virtud es un manto con que tapa
y cubre su indecencia la estrecheza,
que exenta y libre de la envidia escapa.—
Incliné al gran consejo la cabeza;
quedéme en pie, que no hay asiento bueno 95
si el favor no le labra o la riqueza.
Alguno murmuró, viéndome ajeno
del honor que pensó se me debía,
del planeta de luz y virtud lleno.
En esto pareció que cobró el día 100
un nuevo resplandor, y el aire oyóse
herir de una dulcísima armonía.
Y en esto por un lado descubrióse
del sitio un escuadrón de ninfas bellas,
con que infinito el rubio dios holgóse. 105
Venía en fin y por remate dellas
una resplandeciendo, como hace
el sol ante la luz de las estrellas.
La mayor hermosura se deshace
ante ella, y ella sola resplandece 110
sobre todas, y alegra y satisface.
Bien así semejaba cual se ofrece
entre líquidas perlas y entre rosas

89 *yo no tengo capa*: No es pura exageración. Entre los autógrafos de Cervantes se conserva uno, que consiste en la firma puesta por el autor del *Quijote* al siguiente recibo: "Miguel de Cervantes Saavedra recibe a crédito —siendo fiador el posadero de esta plaza Tomás Gutiérrez— cinco varas y media de ropa de mezcla para capa, comprometiéndose a pagar los diez ducados que importa el dicho género, dentro de un plazo de tres meses a contar del día de la fecha. En Sevilla, a ocho de noviembre de mil quinientos noventa".

92 *la*: El texto, *le*.

107 *como hace*: como resplandece. Ver II, 329.

113 *entre... entre*: Repetición habitual. Comp. *Quijote,* II, 10: "por andar siempre entre ámbares y entre flores...".

la aurora que despunta y amanece.
  La rica vestidura, las preciosas 115
joyas que la adornaban, competían
con las que suelen ser maravillosas.
  Las ninfas que al querer suyo asistían.
en el gallardo brío y bello aspecto
las artes liberales parecían. 120
  Todas con amoroso y tierno afecto,
con las ciencias más claras y escondidas,
le guardaban santísimo respeto.
  Mostraban que en servirla eran servidas,
y que por su ocasión de todas gentes 125
en más veneración eran tenidas.
  Su influjo y su reflujo las corrientes
del mar y su profundo le mostraban,
y el ser padre de ríos y de fuentes.
  Las hierbas su virtud la presentaban; 130
los árboles, sus frutos y sus flores;
las piedras, el valor que en sí encerraban.
  El santo amor, castísimos amores;
la dulce paz, su quietud sabrosa;
la guerra amarga, todos sus rigores. 135
  Mostrábasele clara la espaciosa
vía por donde el sol hace contino
su natural carrera y la forzosa.
  La inclinación o fuerza del destino,
y de qué estrellas consta y se compone, 140
y cómo influye este planeta o signo,
  todo lo sabe, todo lo dispone
la santa y hermosísima doncella,

118 *querer*: mandar.
122 Entiéndase: *con las ciencias más claras y* con las más *escondidas* u ocultas.
130 *la presentaban*: laísmo. *Virtud*: propiedad medicinal.
138 *su natural carrera y la forzosa*: Sobra el *la*. Entiéndase: su natural y forzosa carrera. Ocurre en este verso lo contrario que en el 122 de este mismo cap.
139-141 Comp. Fray Luis de León, "A Felipe Ruiz": "Y de allí levantado / veré los movimientos celestiales... / las causas de los hados, las señales. / Quién rige las estrellas / veré...". Ver III, 86.

que admiración como alegría pone.
  Preguntéle al parlero si en la bella 145
ninfa alguna deidad se disfrazaba
que fuese justo el adorar en ella;
  porque en el rico adorno que mostraba,
y en el gallardo ser que descubría,
del cielo y no del suelo semejaba. 150
  —Descubres, respondió, tu bobería,
que ha que la tratas infinitos años,
y no conoces que es la Poësía.
  —Siempre la he visto envuelta en pobres paños,
le repliqué; jamás la vi compuesta 155
con adornos tan ricos y tamaños;
  parece que la he visto descompuesta,
vestida de color de primavera
en los días de cutio y los de fiesta.
  —Esta, que es la Poesía verdadera, 160
la grave, la discreta, la elegante,
dijo Mercurio, la alta y la sincera,
  siempre con vestidura rozagante
se muestra en cualquier acto que se halla,
cuando a su profesión es importante. 165
  Nunca se inclina o sirve a la canalla
trovadora, maligna y trafalmeja,
que en lo que más ignora menos calla.
  Hay otra falsa, ansiosa, torpe y vieja,
amiga de sonaja y morteruelo, 170
que ni tabanco ni taberna deja.
  No se alza dos ni aun un coto del suelo,

144 *pone*: causa. Ver II, 48.
159 *días de cutio*: los laborables.
160 ss. L. Alas, *Clarín*, se sirvió de todo este pasaje para atacar a Manuel del Palacio, el "medio poeta", según lo llamó.
163 *vestidura rozagante*: La vestidura vistosa y tan larga que rozaba el suelo.
167 *trafalmeja*: atrevida y de poco seso.
170 "*morteruelo*: un instrumentico a modo de mortero, con su manecilla, que suelen tañer los muchachos". Covarrubias.
171 *tabanco*: garito, casa de juego.
172 "*Coto* es cierta medida de los quatro dedos de la mano, cerrando el puño y levantando sobre él el dedo pulgar." Covarrubias.

grande amiga de bodas y bautismos,
larga de manos, corta de cerbelo.
Tómanla por momentos parasismos; 175
no acierta a pronunciar, y, si pronuncia,
absurdos hace y forma solecismos.
Baco donde ella está su gusto anuncia,
y ella derrama en coplas el poleo,
compa y vereda, y el mastranzo y juncia. 180
Pero aquesta que ves es el aseo,
la [g]ala de los cielos y la tierra,
con quien tienen las musas su bureo:
Ella abre los secretos y los cierra,
toca y apunta de cualquiera ciencia 185
la superficie y lo mejor que encierra.
Mira con más ahínco su presencia:
verás cifrada en ella la abundancia
de lo que en bueno tiene la excelencia.
Moran con ella en una misma estancia 190
la divina y moral filosofía,
el estilo más puro y la elegancia.
Puede pintar en la mitad del día
la noche, y en la noche más escura
el alba bella que las perlas cría. 195
El curso de los ríos apresura,
y le detiene; el pecho a furia incita,
y le reduce luego a más blandura.
Por mitad del rigor se precipita

174 *cerbelo*: seso, juicio (italianismo). Comp. *Quijote*, I, versos preliminares: "Maguer, señor Quijote, que sandeces / vos tengan el cerbelo derrumbado".
175 *tómanla por momentos parasismos*: le dan a veces paroxismos. *Tómanla* es laísmo. Ver IV, 130.
180 *compa y vereda* (o *con pa y vereda*, como lee, R. M., ya que Cervantes escribió en *La entretenida*, Jorn. I, "¿Querría el sor que anduviese / de pa y vereda contino?") es locución no explicada satisfactoriamente hasta ahora. *Derramar poleo, mastranzo y juncia*: jactarse, hacer ostentación de algo.
183 *bureo*: junta, reunión.
184 *los secretos*: Por alusión a los cajones ocultos de ciertos muebles. Cf. fr. *secrétaire*.
193 *Puede*: El texto, por errata, *Pueda*.

de las lucientes armas contrapuestas, 200
y da vitorias, y vitorias quita.
  Verás cómo le prestan las florestas
sus sombras, y sus cantos los pastores,
el mal sus lutos y el placer sus fiestas,
  perlas el Sur, Sabea sus olores, 205
el oro Tíbar, Hibla su dulzura,
galas Milán, y Lusitania amores.
  En fin, ella es la cifra do se apura
lo provechoso, honesto y deleitable,
partes con quien se aumenta la ventura. 210
  Es de ingenio tan vivo y admirable,
que a veces toca en punto que suspenden,
por tener no sé qué de inexcrutable.
  Alábanse los buenos, y se ofenden
los malos con su voz, y destos tales 215
unos la adoran, otros no la entienden.
  Son sus obras heroicas inmortales;
las líricas, süaves de manera
que vuelven en divinas las mortales.
  Si alguna vez se muestra lisonjera, 220
es con tanta elegancia y artificio,
que no castigo, sino premio espera.
  Gloria de la virtud, pena del vicio
son sus acciones, dando al mundo en ellas
de su alto ingenio y su bondad indicio.— 225
  En esto estaba, cuando por las bellas

201 Del Campo observa la bimembración de este verso, con *vitorias* en la cima rítmica de ambos miembros.
202 *florestas*: selvas, bosques. Comp. fr. *forêt*.
206 *Tíbar*: El texto, por errata, *Tiber*.
207 *...y Lusitania amores: el sur*: el Mar del Sur (el Pacífico), descubierto por Núñez de Balboa en 1513. *Sabea*: o *Sabá*, región de la Arabia Feliz. *Tíbar* (del árabe *tibr*: "puro") se tenía por lugar geográfico. *Hibla su dulzura*: la dulzura de la miel de las abejas del monte Hibla, en Sicilia. *Milán sus galas*: las famosas y ricas telas milanesas. *Lusitania amores*: por la fama que tenían de enamoradizos y blandos los portugueses (Ver *Persiles*, III, 1). Maravillosamente dijo Lope de Vega (*La venganza venturosa*, Jorn. I) del portugués: "Hasta la lengua parece / que es también enamorada".
218 *suaves de* tal *manera*...

ventanas de jazmines y de rosas
(que Amor estaba a lo que entiendo en ellas),
  divisé seis personas religiosas,
al parecer de honroso y grave aspecto, 230
de luengas togas, limpias y pomposas.
  Preguntéle a Mercurio: —¿Por qué efecto
aquéllos no parecen y se encubren,
y muestran ser personas de respecto?—
  A lo que él respondió: —No se descubren 235
por guardar el decoro al alto estado
que tienen, y así el rostro todos cubren.
  —¿Quién son, le repliqué, si es que te es dado
dicirlo?— Respondióme: —No por cierto,
porque Apolo lo tiene así mandado. 240
  —¿No son poetas? —Sí. —Pues yo no acierto
a pensar por qué causa se desprecian
de salir con su ingenio a campo abierto.
  ¿Para qué se embobecen y se anecian,
escondiendo el talento que da el cielo 245
a los que más de ser suyos se precian?
  ¡Aquí del rey! ¿Qué es esto? ¿Qué recelo
o celo les impide a no mostrarse
sin miedo ante la turba vil del suelo?
  ¿Puede ninguna ciencia compararse 250
con esta universal de la poesía,
que límites no tiene do encerrarse?
  Pues siendo esto verdad, saber querría
entre los de la carda cómo se usa
este miedo, o melindre, o hipocresía. 255

239 *dicirlo*: R. M. enmienda *decirlo*. Pero puede tratarse de una asimilación regresiva como *idificio* (II, 281) y *Pirsiles* (IV, 47).
242 *se desprecian*: desdeñan.
247 *¡Aquí del rey!*: Grito para pedir socorro. La expresión se usaba también para mostrar disconformidad: "¡Aquí del rey! ¿Qué tienen que ver los escuderos con las aventuras de sus señores?". *Quijote*, II, 40.
254 *los de la carda*: los del oficio, los poetas. *Los de la carda* se decía de los perailes o cardadores de lana segovianos, que tenían fama de pícaros. Recuérdese a los manteadores de Sancho.

Hace monseñor versos, y rehúsa
que no se sepan, y él los comunica
con muchos, y a la lengua ajena acusa.
Y más que, siendo buenos, multiplica
la fama su valor, y al dueño canta 260
con voz de gloria y de alabanza rica.
¿Qué mucho, pues, si no se le levanta
testimonio a un pontífice poeta,
que digan que lo es? Por Dios que espanta.
Por vida de Lanfusa la discreta, 265
que si no se me dice quién son estos
togados de bonete y de muceta,
que con trazas y modos descompuestos
tengo de reducir a behetría
estos tan sosegados y compuestos. 270
—Por Dios, dijo Mercurio, y a fee mía,
que no puedo decirlo, y si lo digo,
tengo de dar la culpa a tu porfía.
—Dilo, señor, que desde aquí me obligo
de no decir que tú me lo dijiste, 275
le dije, por la fe de buen amigo.—
Él dijo: —No nos cayan en el chiste,
llégate a mí, dirételo al oído,
pero creo que hay más de los que viste.

256 *Hace monseñor versos*: Según Medina, alusión al cardenal arzobispo de Toledo, Bernardo de Sandoval y Rojas, protector de Cervantes, que, al parecer, era buen versificador. R. M. comenta: "Pareceríame plausible la conjetura a no haber en el razonamiento de Cervantes algo de irrespetuoso". Pero no es mucha la falta de respeto, Cervantes no cita nominalmente a Sandoval, y, por último, las irreverencias de Cervantes con las jerarquías esclesiásticas son bien conocidas. Recuérdese, por ej., la *mutatio caparum* con que llama asnos a los cardenales (*Quijote*, I, 21).
257 *no* redundante.
265 *Lanfusa*: personaje del *Orlando* de Ariosto, donde Ferraú, español e hijo de Lanfusa, dice: "Ma la vergogna il cor si gli strafisse, / che giuro per la vita de Lanfusa...".
269 *tengo de* (aquí y cuatro versos más abajo), por *tengo que*, habitual en la época; *behetría*: confusión.
271-277 Nótese la repetición del verbo *decir: dijo... decirlo... digo... Dilo... decir... dijiste... dije... dijo.*
273 *dar la culpa*: echarla.
277 *no nos cayan* (caigan) *en el chiste*: no se enteren.

Aquel que has visto allí del cuello erguido, 280
lozano, rozagante y de buen talle,
de honestidad y de valor vestido,
es el Doctor Francisco Sánchez; dalle
puede, cual debe, Apolo la alabanza,
que pueda sobre el cielo levantalle; 285
y aun a más su famoso ingenio alcanza,
pues en las verdes hojas de sus días
nos da de santos frutos esperanza.
Aquel que en elevadas fantasías
y en éxtasis sabrosos se regala, 290
y tanto imita las acciones mías,
es el Maestro Orense, que la gala
se lleva de la más rara elocuencia
que en las aulas de Atenas se señala.
Su natural ingenio con la ciencia 295
y ciencias aprendidas le levanta
al grado que le nombra la excelencia.
Aquel de amarillez marchita y santa,
que le encubre de lauro aquella rama
y aquella hojosa y acopada planta, 300
Fray Juan Baptista Capataz se llama;
descalzo y pobre, pero bien vestido
con el adorno que le da la fama.
Aquel que del rigor fiero de olvido
libra su nombre con eterno gozo, 305
y es de Apolo y las Musas bien querido,
anciano en el ingenio y nunca mozo,
humanista divino, es, según pienso,

288 Ver III, 435.
292 "No es mucho favor el que hace Mercurio al maestro Orense llamándole su imitador, porque el modelo, en cuanto a sus acciones, dejaba algo, y aun algos, que desear. Lo que hay aquí, probablemente, es que Cervantes se distrajo y creyó que estaba hablando Apolo, y no Mercurio." R. M. Yo creo que quien se distrajo aquí fue R. M., tomando demasiado al pie de la letra la palabra *acciones*, y olvidando que Mercurio, el *dios parlero* y *hablante*, era el dios de la *elocuencia*, con lo cual el elogio —por lo demás, irónico, como casi todos los del *Viaje*— resultaba apropiado. *Llevarse la gala*: sobresalir, superar a los demás.
299 *que*: al que, a quien.

el insigne Doctor Andrés del Pozo.
Un licenciado de un ingenio inmenso 310
es aquel, y aunque en traje mercenario,
como a señor le dan las musas censo;
Ramón se llama, auxilio necesario
con que Delio se esfuerza y ve rendidas
las obstinadas fuerzas del contrario. 315
El otro, cuyas sienes ves ceñidas
con los brazos de Dafne en triunfo honroso,
sus glorias tiene en Alcalá esculpidas.
En su ilustre teatro vitorioso
le nombra el cisne, en canto no funesto, 320
siempre el primero como a más famoso.
A los donaires suyos echó el resto
con propiedades al gorrón debidas,
por haberlos compuesto o descompuesto.
Aquestas seis personas referidas, 325
como están en divinos puestos puestas
y en sacra religión constituidas,
tienen las alabanzas por molestas
que les dan por poetas, y holgarían
llevar la loa sin el nombre a cuestas. 330
—¿Por qué, le pregunté, señor, porfían
los tales a escribir y dar noticia
de los versos que paren y que crían?
También tiene el ingenio su codicia,
y nunca la alabanza se desprecia 335
que al bueno se le debe de justicia.
Aquel que de poeta no se precia,
¿para qué escribe versos y los dice?
¿Por qué desdeña lo que más aprecia?
Jamás me contenté ni satisfice 340
de hipócritos melindres. Llanamente
quise alabanzas de lo que bien hice.

317 *con los brazos de Dafne*: con ramas de laurel.
322 *echó el resto*: Ver III, 154.
324 Hay diversas conjeturas acerca de quién pudiera ser este *El otro* (v. 316) a quien se dedican tres tercetos. Ver R. M.
341 *hipócritos,* por *hipócritas,* italianismo.
342 Ver Introducción, p. 30.

—Con todo, quiere Apolo que esta gente
religiosa se tenga aquí secreta,
dijo el dios que presume de elocuente. 345
Oyóse en esto el son de una corneta,
y un "trapa, trapa, aparta, afuera, afuera,
que viene un gallardísimo poeta".
Volví la vista y vi por la ladera
del monte un postillón y un caballero 350
correr, como se dice, a la ligera.
Servía el postillón de pregonero,
mucho más que de guía, a cuyas voces
en pie se puso el escuadrón entero.
Preguntóme Mercurio: —¿No conoces 355
quién es este gallardo, este brioso?
Imagino que ya le reconoces.
—Bien sé, le respondí, que es el famoso
gran Don Sancho de Leiva, cuya espada
y pluma harán a Delio venturoso. 360
Venceráse sin duda esta jornada
con tal socorro—; y, en el mismo instante,
cosa que parecía imaginada,
otro favor no menos importante
para el caso temido se nos muestra, 365
de ingenio, y fuerzas, y valor bastante.
Una tropa gentil por la siniestra
parte del monte se descubre; ¡oh cielos,
que dais de vuestra providencia muestra!
Aquel discreto Juan de Vasconcelos 370
venía delante en un caballo bayo,
dando a las musas lusitanas celos.
Tras él el Capitán Pedro Tamayo
venía, y, aunque enfermo de la gota,
fue al enemigo asombro, fue desmayo; 375

347 "*trapa, trapa,* de la locución adverbial italiana *a strappa strappa,* y junto con las interjecciones *¡aparta!* y *¡afuera!* usábase para hacer que las gentes dejaran campo libre a los que habían de llegar, o pasar, a caballo o a pie." R.M. La misma locución se lee en el *Quijote,* II, 61.

351 *correr a la ligera*: de prisa y con poca carga, como la caballería ligera.

que por él se vio en fuga y puesto en rota,
que en los dudosos trances de la guerra
su ingenio admira y su valor se nota.
También llegaron a la rica tierra,
puestos debajo de una blanca seña, 380
por la parte derecha de la sierra,
otros, de quien tomó luego reseña
Apolo; y era dellos el primero
el joven Don Fernando de Lodeña,
poeta primerizo, insigne empero, 385
en cuyo ingenio Apolo deposita
sus glorias para el tiempo venidero.
Con majestad real, con inaudita
pompa llegó, y al pie del monte para
quien los bienes del monte solicita: 390
el Licenciado fue Juan de Vergara
el que llegó, con quien la turba ilustre
en sus vecinos miedos se repara.
De Esculapio y de Apolo gloria ilustre,
si no, dígalo el santo bien partido, 395
y su fama la misma envidia ilustre.
Con él fue con aplauso recebido
el docto Juan Antonio de Herrera,
que puso en fil el desigual partido.
¡Oh, quién con lengua en nada lisonjera, 400

376 *rota*: derrota.
380 *seña*: enseña.
382 *Tomar reseña*: pasar revista.
394 *gloria ilustre*: Medina, y con él R. M., leen *gloria y lustre*, alegando éste último que "*ilustre* en este lugar sería *demasiado* consonante de la propia voz usada dos versos después en la misma acepción" y que "*ilustre* es adjetivo que no añadiría nada al significado de *gloria*". Todo ello (y aun podría haber añadido que *gloria* y *lustre* suelen ir acompañados) está bien, pero Cervantes ofrece a veces consonancias y adjetivaciones como las presentes, por lo que, no siendo segura errata, mantengo el texto.
385 *bien partido*: generoso. Se trata de San Martín, que partió su capa con un pobre, "y sin duda debía de ser entonces invierno; que si no, él se la diera toda, según era de caritativo" (*Quijote*, II, 58). R. M. conjetura que Juan de Vergara sería médico de algún hospital que llevase el nombre de dicho santo.
399 *Poner en fil* (o en *fiel*): equilibrar, poner a nivel.

sino con puro afecto en grande exceso,
dos que llegaron a alabar pudiera!
  Pero no es de mis hombros este peso.
Fueron los que llegaron los famosos,
los dos maestros Calvo y Valdivieso. 405
  Luego se descubrió por los undosos
llanos del mar una pequeña barca
impelida de remos presurosos.
  Llegó, y al punto della desembarca,
el gran Don Juan de Argote y de Gamboa 410
en compañía de Don Diego Abarca,
  sujetos dignos de incesable loa;
y Don Diego Jiménez y de Anciso
dio un salto a tierra desde la alta proa.
  En estos tres la gala y el aviso 415
cifró cuanto de gusto en sí contienen,
como su ingenio y obras dan aviso.
  Con Juan López del Valle otros dos vienen
juntos allí, y es Pamonés el uno,
con quien las musas ojeriza tienen, 420
  porque pone sus pies por do ninguno
los puso, y con sus nuevas fantasías
mucho más que agradable es importuno.
  De lejas tierras por incultas vías
llegó el bravo irlandés Don Juan Bateo, 425
Jerjes nuevo en memoria en nuestros días.
  Vuelvo la vista, a Mantuano veo,
que tiene al gran Velasco por mecenas,
y ha sido acertadísimo su empleo.
  Dejarán estos dos en las ajenas 430
tierras, como en las proprias, dilatados
sus nombres, que tú, Apolo, así lo ordenas.
  Por entre dos fructíferos collados

403 *de mis hombros*: para mis hombros.
413 *Anciso* no es errata por *Enciso*. *Anciso*, y aun *Inciso*, se le llamó a veces en su tiempo.
424 *de lejas tierras* escribió también Cervantes en *El coloquio de los perros* y en el *Persiles*. Y en el *Quijote*, II, 36, "de lueñas y apartadas tierras".
431 *proprias*, a la latina.

(¿habrá quien esto crea, aunque lo entienda?)
de palmas y laureles coronados, 435
el grave aspecto del Abad Maluenda
pareció, dando al monte luz y gloria
y esperanzas de triunfo en la contienda.
Pero ¿de qué enemigos la vitoria
no alcanzará un ingenio tan florido 440
y una bondad tan digna de memoria?
Don Antonio Gentil de Vargas, pido
espacio para verte, que llegaste
de gala y arte y de valor vestido.
Y aunque de patria ginovés, mostraste 445
ser en las musas castellanas docto,
tanto que al escuadrón todo admiraste.
Desde el indio apartado del remoto
mundo llegó mi amigo Montesdoca,
y el que anudó de Arauco el nudo roto. 450
Dijo Apolo a los dos: —A entrambos toca
defender esta vuestra rica estancia
de la canalla de vergüenza poca.
La cual, de error armada y de arrogancia,
quiere canonizar y dar renombre 455
inmortal y divino a la ignorancia;
que tanto puede la afición que un hombre
tiene a sí mismo, que, ignorante siendo,
de buen poeta quiere alcanzar nombre.—
En esto, otro milagro, otro estupendo 460
prodigio se descubre en la marina,
que en pocos versos declarar pretendo.
Una nave a la tierra tan vecina
llegó, que desde el sitio donde estaba
se ve cuanto hay en ella y determina. 465
De más de cuatro mil salmas pasaba

439 *la*: El texto, *la la*.
450 Alusión a Pedro de Oña, continuador, en su *Arauco domado*, de *La Araucana* de Ercilla.
458 *a sí mismo*: El texto, *assí mismo*.
465 Hipérbaton: se ve y (se) determina cuanto hay en ella.
466 *Pasar de más de* es pleonasmo de la época. Comp. *Quijote*, I, 17: "...todos cuantos había en la venta, que pasaban

(que otros suelen llamarlas toneladas),
ancha de vientre y de estatura brava:
  así como las naves que cargadas
llegan de la oriental India a Lisboa, 470
que son por las mayores estimadas,
  esta llegó desde la popa a proa
cubierta de poetas, mercancía
de quien hay saca en Calicut y en Goa.
  Tomóle al rojo dios alferecía 475
por ver la muchedumbre impertinente
que en socorro del monte le venía.
  Y en silencio rogó devotamente
que el vaso naufragase en un momento
al que gobierna el húmido tridente. 480
  Una de los del número hambriento
se puso en esto al borde de la nave,
al parecer mohíno y mal contento;
  y en voz que ni de tierna ni süave
tenía un solo adárame, gritando 485
dijo, tal vez colérico, y tal grave,
  lo que impaciente estuve yo escuchando,
porque vi sus razones ser saetas
que iban mi alma y corazón clavando.
  —¡Oh tú, dijo, traidor, que los poetas 490
canonizaste de la larga lista,
por causas y por vías indirectas!
  ¿dónde tenías, magancés, la vista

---

de más de veinte personas...". *Salma* es palabra italiana. Ver más adelante, VI, 284.

470 *Lisboa*: "La ciudad es la mayor de Europa y la de mayores tratos; en ella se descargan las riquezas del Oriente, y desde ella se reparten por el universo; su puerto es capaz, no sólo de naves que se puedan reducir a número, sino de selvas movibles de árboles que los de las naves forman". *Persiles,* III, 1.

475 *Tomóle*: Dióle. Ver IV, 175.

479 *vaso*: bajel.

480 *Neptuno*. En V, 1, *el Señor del húmido tridente*.

481 *número hambriento*: Ver III, 459.

485 *adárame*: forma antigua de *adarme*.

493 *magancés*: "traidor", en sentido festivo y en recuerdo de haber sido de Maganza Galalón, por cuya traición murieron en Roncesvalles los doce Pares de Francia.

aguda de tu ingenio, que así ciego
fuiste tan mentiroso coronista? 495
Yo te confieso, ¡oh bárbaro!, y no niego
que algunos de los muchos que escogiste
sin que el respeto te forzase o el ruego,
en el debido punto los pusiste;
pero con los demás, sin duda alguna, 500
pródigo de alabanzas anduviste.
Has alzado a los cielos la fortuna
de muchos que en el centro del olvido,
sin ver la luz del sol ni de la luna,
yacían; ni llamado ni escogido 505
fue el gran *Pastor de Iberia,* el gran Bernardo
que de la Vega tiene el apellido.
Fuiste envidioso, descuidado y tardo,
y a las *Ninfas de Henares y pastores*
como a enemigos les tiraste un dardo. 510
Y tienes tú poetas tan peores
que estos en tu rebaño, que imagino
que han de sudar si quieren ser mejores.
Que si este agravio no me turba el tino,
siete trovistas desde aquí diviso, 515
a quien suelen llamar de torbellino,
con quien la gala, discreción y aviso
tienen poco que ver, y tú los pones
dos leguas más allá del paraíso.
Estas quimeras, estas invenciones 520
tuyas te han de salir al rostro un día

495 *mentiroso*: El texto, por errata: *mentrioso.*
505 *ni llamado ni escogido*: Ver II, 39.
509 Alusión a la obra de Bernardo González de Bobadilla, *Primera Parte de las Ninfas y Pastores de Henares,* vituperada ya por Cervantes en el escrutinio de la librería de Don Quijote, en compañía de *El Pastor de Iberia* (I, 6).
511 *tan peores*: Comparativo popular. Comp. *Quijote,* I, 34: "Así como parece mal el ejército sin su general y el castillo sin su castellano, digo yo que parece muy peor la mujer casada y moza sin su marido".
516 *trovistas... de torbellino*: Lo mismo que *poetas de repente.* Ver III, 365.
521 *te han de salir al rostro*: te han de avergonzar, te han de pesar.

si más no te mesuras y compones.—
  Esta amenaza y gran descortesía
mi blando corazón llenó de miedo
y dio al través con la paciencia mía. 525
  Y volviéndome a Apolo con denuedo
mayor del que esperaba de mis años,
con voz turbada y con semblante acedo
  le dije: —Con bien claros desengaños
descubro que el servirte me granjea 530
presentes miedos de futuros daños.
  Haz, ¡oh señor!, que en público se lea
la lista que Cilenio llevó a España,
por que mi culpa poca aquí se vea.
  Si tu deidad en escoger se engaña, 535
y yo sólo aprobé lo que él me dijo,
¿por qué este simple contra mí se ensaña?
  Con justa causa y con razón me aflijo
de ver cómo estos bárbaros se inclinan
a tenerme en temor duro y prolijo. 540
  Unos, porque los puse me abominan;
otros, porque he dejado de ponellos
de darme pesadumbre determinan.
  Yo no sé cómo me avendré con ellos;
los puestos se lamentan, los no puestos 545
gritan, yo tiemblo destos y de aquellos.
  Tú, señor, que eres dios, dales los puestos
que piden sus ingenios; llama y nombra
los que fueren más hábiles y prestos.
  Y porque el turbio miedo que me asombra 550
no me acabe, acabada esta contienda,

533 *Cilenio*: Ver I, 209.
534 *culpa poca*: viene a significar *pequeña, escasa*. De cualquier modo, demuestra muy poco respeto el comentar, como R. M.: "Si escribió Cervantes *culpa poca* por evitar una cacofonía (po*ca cul*pa), hay que reconocer que le salió errada la cuenta, pues cayó en otra cacofonía peor, porque es doble: "cul*pa poca aquí*". Comp. *culpa poca* con *vergüenza poca* en el verso 453 de este mismo cap.
550 *asombra*: ensombrece.
551 Ver más adelante, V, 172.

cúbreme con tu mano y con tu sombra.
O ponme una señal por do se entienda
que soy hechura tuya y de tu casa,
y así no habrá ninguno que me ofenda. 555
—Vuelve la vista y mira lo que pasa—,
fue de Apolo enojado la respuesta,
que ardiendo en ira el corazón se abrasa.
Volvíla, y vi la más alegre fiesta,
y la más desdichada y compasiva 560
que el mundo vio, ni aun la verá cual esta.
Mas no se espere que yo aquí la escriba,
sino en la parte quinta, en quien espero
cantar con voz tan entonada y viva,
que piensen que soy cisne y que me muero. 565

552 Comp. Salmo 138, 5: "Tu formasti me, et posuisti super me manum tuam". Y Salmo XVI, 8: "Sub umbra alarum tuarum protege me".
554 Comp. Salmo 85, 17: "Fac mecum signum bonum, ut videant qui oderunt me, et confundantur". Y *Cantar de Cantares,* VIII, 6: "Pone me ut signaculum cor tuum, ut signaculum brachium tuum".
558 *ardiendo en ira*: Ver III, 203.
560 *compasiva*: digna de compasión. Es dudoso que sea italianismo, como quiere R. M., ya que en la época de Cervantes había bastantes palabras cuyo sentido activo o pasivo no correspondía al uso actual: Ver III, 231.
565 Ver Introducción, p. 37.

CAPÍTULO V

Oyó el señor del húmido tridente
las plegarias de Apolo, y escuchólas
con alma tierna y corazón clemente.
Hizo de ojo y dio del pie a las olas,
y sin que lo entendiesen los poetas, 5
en un punto hasta el cielo levantólas.
Y él, por ocultas vías y secretas,
se agazapó debajo del navío,
y usó con él de sus traidoras tretas.
Hirió con el tridente en lo vacío 10
del buco, y el estómago le llena
de un copioso corriente amargo río.
Advertido el peligro, al aire suena
una confusa voz, la cual resulta
de otras mil que el temor forma y la pena. 15
Poco a poco el bajel pobre se oculta
en las entrañas del cerúleo y cano

1 Ver IV, 480.
4 *Hacer de ojo* (o *del ojo*): guiñarlo, en señal de aquiescencia. *Dar del pie a las olas*: removerlas.
7 Ver I, 142.
11 *buco* (o *buque*): concavidad de una nave.
13 *al aire*: en el aire.
14 *al aire suena una confusa voz*: Comp. Fray Luis de León, "Profecía del Tajo": "...la voz al cielo confusa y varia crece...".
17 *cano*: Adjetivo frecuente de *mar* en la poesía de la época. Comp. *La entretenida,* Jorn. II: "Por ti surca las aguas del mar cano" y versos 34 y 162 de este cap.

vientre, que tantas ánimas sepulta.
  Suben los llantos por el aire vano
de aquellos miserables, que suspiran 20
por ver su irreparable fin cercano.
  Trepan y suben por las jarcias, miran
cuál del navío es el lugar más alto,
y en él muchos se apiñan y retiran.
  La confusión, el miedo, el sobresalto 25
les turba los sentidos, que imaginan
que desta a la otra vida es grande el salto.
  Con ningún medio ni remedio atinan;
pero, creyendo dilatar su muerte,
algún tanto a nadar se determinan. 30
  Saltan muchos al mar de aquella suerte
que al charco de la orilla saltan ranas
cuando el miedo o el ruido las advierte.
  Hienden las olas del romperse canas,
menudean las piernas y los brazos, 35
aunque enfermos están y ellas no sanas.
  Y, en medio de tan grandes embarazos,
la vista ponen en la amada orilla,
deseosos de darla mil abrazos.
  Y sé yo bien que la fatal cuadrilla, 40
antes que allí, holgara de hallarse
en el Compás famoso de Sevilla.
  Que no tienen por gusto el ahogarse,
discreta gente al parecer en esto;
pero valióles poco el esforzarse; 45
  que el padre de las aguas echó el resto
de su rigor, mostrándose en su carro
con rostro airado y ademán funesto.
  Cuatro delfines, cada cual bizarro,

33 Ver R. M. para la semejanza de esta comparación con otra, de Juan de Padilla y de Camoens.
35 *menudean*: "*Menudear* es hacer una cosa apresuradamente". Covarrubias, s. v. *menudo*.
39 *darla*, por *darle*: laísmo. Ver IV, 130.
42 *el Compás*: Mancebía de Sevilla, centro de reunión de la gente del hampa, mencionado por Cervantes también en el *Quijote*, en *Rinconete y Cortadillo*, etc.
46 *echó el resto*: Ver III, 154.

con cuerdas hechas de tejidas ovas 50
le tiraban con furia y con desgarro.
Las ninfas en sus húmidas alcobas
sienten tu rabia, ¡oh vengativo nume!,
y de sus rostros la color les robas.
El nadante poeta que presume 55
llegar a la ribera defendida,
sus ayes pierde y su tesón consume;
que su corta carrera es impelida
de las agudas puntas del tridente,
entonces fiero y áspero homicida. 60
¡Quién ha visto muchacho diligente
que en goloso a sí mesmo sobrepuja,
que no hay comparación más conveniente,
picar en el sombrero la granuja,
que el hallazgo le puso allí, o la sisa, 65
con punta alfileresca, o ya de aguja!
Pues no con menor gana o menor prisa,
poetas ensartaba el nume airado
con gusto infame y con dudosa risa.
En carro de cristal venía sentado, 70
la barba luenga y llena de marisco,
con dos gruesas lampreas coronado.
Hacían de sus barbas firme aprisco
la almeja, el morsillón, pulpo y cangrejo,
cual le suelen hacer en peña o risco. 75
Era de aspecto venerable y viejo;
de verde, azul y plata era el vestido,
robusto al parecer y de buen rejo,
aunque, como enojado, denegrido

51 *le tiraban*: tiraban de él.
53 *nume*: dios, deidad (italianismo).
56 *defendida*: vedada. Comp. fr. *défendre*.
62 *a sí mesmo*: El texto, *assí mesmo*.
64 *granuja*: uva desgranada.
70 *veniá*, por *venía*. Ver III, 117.
74 *morsillón*: mejillón. Como observa R. M., la forma en que Cervantes describe las barbas de Neptuno recuerda la que utilizó Camoens para describir las barbas y cabellera de Tritón en *Os Lusíadas*, VII, 17.
78 *rejo*: vigor.

se mostraba en el rostro, que la saña 80
así turba el color como el sentido.
Airado contra aquellos más se ensaña
que nadan más, y sáleles al paso,
juzgando a gloria tan cobarde hazaña.
En esto (¡oh nuevo y milagroso caso, 85
digno de que se cuente poco a poco
y con los versos de Torcato Taso!
Hasta aquí no he invocado, ahora invoco
vuestro favor, ¡oh Musas!, necesario
para los altos puntos en que toco. 90
Descerrajad vuestro más rico almario,
y el aliento me dad que el caso pide,
no humilde, no ratero ni ordinario),
las nubes hiende, el aire pisa y mide
la hermosa Venus Acidalia, y baja 95
del cielo, que ninguno se lo impide.
Traía vestida de pardilla raja
una gran saya entera, hecha al uso,
que le dice muy bien, cuadra y encaja.
Luto que por su Adonis se le puso 100
luego que el gran colmillo del berraco
a atravesar sus ingles se dispuso.

88 Cervantes se disculpa irónicamente de no haber invocado a las musas, como era de rigor hacerlo al comienzo de los poemas narrativos.
93 *ratero*: Ver I, 80.
94 *el aire pisa y mide*: Comp. Garcilaso, *Égloga I*: "Divina Elisa, pues agora el cielo / con inmortales pies pisas y mides". Es una de las reminiscencias que no cita J. M. Blecua en su ensayo "Garcilaso y Cervantes", *Cuadernos de Ínsula. Homenaje a Cervantes,* 1947.
95 *Acidalia* (de 'Ἀκιδαλίη : la que excita el deseo): Sobrenombre de Venus en Virgilio, *Eneida,* I, 720. El texto, por errata: *la hermosura Venus...*
97-99 Dice Cervantes *saya entera* porque había también *media saya*; la *raja* era un paño grueso; *al uso*: a la moda; *que le dice*: que le sienta.
100 *Luto*: Pero no de negro, sino con raja *pardilla.*
102 *se dispuso*: "Más que *disponerse,* porque lo ejecutó", anota R. M. Como que este *se dispuso* (y todo el pasaje) es patentemente irónico. Compárese este pasaje burlesco sobre el mito de Venus y Adonis, con el de Garcilaso sobre el mismo tema en su *Égloga III.*

A fe que si el mocito fuera maco,
que él guardara la cara al colmilludo,
que dio a su vida y su belleza saco. 105
¡Oh valiente garzón, más que sesudo!,
¿cómo, estando avisado, tu mal tomas,
entrando en trance tan horrendo y crudo?
En esto las mansísimas palomas
que el carro de la diosa conducían 110
por el llano del mar y por las lomas,
por unas y otras partes discurrían,
hasta que con Neptuno se encontraron,
que era lo que buscaban y querían.
Los dioses que se ven, se respetaron, 115
y haciendo sus zalemas a lo moro,
de verse juntos en extremo holgaron.
Guardáronse real grave decoro,
y procuró Ciprinia en aquel punto
mostrar de su belleza el gran tesoro. 120
Ensanchó el verdugado, y dióle el punto
con ciertos puntapiés, que fueron coces
para el dios que las vio y quedó difunto.
Un poeta llamado Don Quincoces
andaba semivivo en las saladas 125
ondas, dando gemidos y no voces.
Con todo, dijo en mal articuladas
palabras: —¡Oh señora, la de Pafo,

103 *maco*: En germanía, astuto, bellaco.
105 *dio... saco*: saqueó.
115 *se respetaron*: se saludaron respetuosamente.
116 "...y en señal de que lo agradecíamos, hecimos zalemas a uso de moros, inclinando la cabeza, doblando el cuerpo y poniendo los brazos sobre el pecho." *Quijote,* I, 40.
119 *Ciprinia* (o *Cipriana, Ciprina, Cipria*): de Chipre, adonde Venus, cuando nació de la espuma del mar, fue llevada en una concha, y en donde tuvo su primer templo.
121 *verdugado*: vestidura armada que la mujer llevaba bajo las faldas, para ahuecarlas.
123 Como recuerda R. M., la intercesión de Venus con Neptuno por los malos poetas parece parodia cómica de la intercesión de la misma diosa ante Júpiter por los hijos de Portugal en *Os Lusíadas,* II.
128-129 Comp. Horacio, Odas, I, XXX: "O Venus, regina Gnidi Paphique, / Sperne dilectam Cypron...". *Pafo* (o *Pafos*):

y de las otras dos islas nombradas,
  muévate a compasión el verme gafo 130
de pies y manos, y que ya me ahogo
en otras linfas que las del garrafo.
  Aquí será mi pira, aquí mi rogo,
aquí será Quincoces sepultado,
que tuvo en su crianza pedagogo!— 135
  Esto dijo el mezquino; esto escuchado
fue de la diosa con ternura tanta,
que volvió a componer el verdugado.
  Y luego en pie y piadosa se levanta,
y, poniendo los ojos en el viejo, 140
desembudó la voz de la garganta,
  y, con cierto desdén y sobrecejo,
entre enojada, y grave, y dulce, dijo
lo que al húmido dios tuvo perplejo.
  Y, aunque no fue su razonar prolijo, 145
todavía le trujo a la memoria
hermano de quién era y de quién hijo.
  Representóle cuán pequeña gloria
era llevar de aquellos miserables
el triunfo infausto y la crüel vitoria. 150
  Él dijo: —Si los hados inmudables
no hubieran dado la fatal sentencia
destos en su ignorancia siempre estables,
  una brizna no más de tu presencia
que viera yo, bellísima señora, 155
fuera de mi rigor la resistencia.
  Mas ya no puede ser, que ya la hora
llegó donde mi blanda y mansa mano

Ciudad de Chipre; *las otras dos islas nombradas* (esto es, *renombradas*: Ver I, 30) son Cyprus y Cythera.
130 *gafo*: paralítico, por efecto de la lepra.
132 *garrafo* o *garrafa*: Vasija para enfriar las bebidas.
133 *rogo*: pira, hoguera.
139 *Levantarse en pie*: locución usual en la época.
140 *el viejo*: Neptuno.
141 *desembudó*: neologismo festivo de Cervantes.
147 Se refiere, naturalmente, a los parientes de Quincoces, no a los de Neptuno.

ha de mostrar que es dura y vencedora.
Que estos, de proceder siempre inhumano, 160
en sus versos han dicho cien mil veces:
"azotando las aguas del mar cano".
—Ni azotado ni viejo me pareces,
replicó Venus—; y él le dijo a ella:
—Puesto que me enamoras, no enterneces; 165
que de tal modo la fatal estrella
influye destos tristes, que no puedo
dar felice despacho a tu querella.
Del querer de los hados sólo un dedo
no me puede apartar, ya tú lo sabes; 170
ellos han de acabar, y ha de ser cedo.
—Primero acabarás que los acabes,
le respondió madama, la que tiene
de tantas voluntades puerta y llaves;
que, aunque el hado feroz su muerte ordene, 175
el modo no ha de ser a tu contento,
que muchas muertes el morir contiene.—
Turbóse en esto el líquido elemento,
de nuevo renovóse la tormenta,
sopló más vivo y más apriesa el viento. 180
La hambrienta mesnada, y no sedienta,
se rinde al huracán recién venido,
y, por más no penar, muere contenta.
¡Oh raro caso y por jamás oído

162 "Inesperada salida de Neptuno no exento de vanidad humana, a pesar de su divinidad (Del Campo). Para *mar cano*, ver V, 17.
165 *Puesto que me enamoras, no* me *enterneces*, sin repetición del pronombre. Ver III, 212.
170 *puede*: R. M. enmienda *puedo*. Pero el sentido es tal vez: *tu querella... no me puede apartar...*
171 *cedo*: presto.
172 *Primero acabarás que los acabes*: Juego con las dos acepciones de *acabar*: primero morirás que los termines. Cervantes usó de él con alguna frecuencia.
173 Ver en R. M. ejemplos de *Madama* (y *madona*), dicho festivamente de Venus.
179 *de nuevo renovóse*: pleonasmo.
181 Puntualización humorística: *no sedienta*, en efecto, por la mucha agua que tenían que tragarse.
184 *por jamás*: Ver IV, 12.

ni visto! ¡Oh nuevas y admirables trazas 185
de la gran reina obedecida en Nido!
En un instante, el mar de calabazas
se vio cuajado, algunas tan potentes,
que pasaban de dos y aun de tres brazas.
También hinchados odres y valientes, 190
sin deshacer del mar la blanca espuma,
nadaban de mil talles diferentes.
Esta trasmutación fue hecha, en suma,
por Venus de los lánguidos poetas,
porque Neptuno hundirlos no presuma. 195
El cual le pidió a Febo sus saetas,
cuya arma arrojadiza, desde aparte,
a Venus defraudara de sus tretas.
Negóselas Apolo; y veis do parte
enojado el vejón, con su tridente 200
pensándolos pasar de parte a parte.
Mas este se resbala, aquel no siente
la herida, y dando esguince se desliza,
y él queda de la cólera impaciente.
En esto Bóreas su furor atiza, 205
y lleva antecogida la manada,
que con la de los Cerdas simboliza.
Pidióselo la diosa, aficionada
a que vivan poetas zarabandos

186 *Nido* (por *Gnido,* como enmienda R. M.): ciudad de la Caria donde Venus tuvo un famoso templo en que estaba la estatua de la diosa debida a Praxiteles.
188 *cuajado*: poblado, lleno.
190 *valientes*: grandes. Ver I, 142.
197 *desde aparte*: desde lejos; *cuya* se refiere a *Febo,* no a *saetas.*
207 *Simbolizar con*: asemejarse a. Para *los Cerdas,* por *los cerdos,* ver en R. M. ejemplos de esta "manera vulgar en tiempo de Cervantes, de nombrar a los *cerdos,* trayendo festivamente a la memoria, por el parecido fonético, el noble apellido de *los Cerdas*".
209 *poetas zarabandos* o *zarabandistas*: los que hacían coplas para la zarabanda y otros bailes. Los adjetivos con que los designa Cervantes justifica el que R. M. tilde a estos poetas *almidonados* de "afeminados". Ver más adelante, VII, 343.

de aquellos de la seta almidonada; 210
de aquellos blancos, tiernos, dulces, blandos,
de los que por momentos se dividen
en varias setas y en contrarios bandos.
Los contrapuestos vientos se comiden
a complacer la bella rogadora, 215
y con un solo aliento la mar miden,
llevando a la pïara gruñidora
en calabazas y odres convertida,
a los reinos contrarios del Aurora.
Desta dulce semilla referida, 220
España, verdad cierta, tanto abunda,
que es por ella estimada y conocida.
Que aunque en armas y en letras es fecunda
más que cuantas provincias tiene el suelo,
su gusto en parte en tal semilla funda. 225
Después desta mudanza que hizo el cielo,
o Venus, o quien fuese, que no importa
guardar puntualidad como yo suelo,
no veo calabaza, o luenga o corta,
que no imagine que es algún poeta 230
que allí se estrecha, encubre, encoge, acorta.
Pues ¿qué cuando veo un cuero? ¡oh mal discreta
y vana fantasía, así engañada,
que a tanta liviandad estás sujeta!
Pienso que el piezgo de la boca atada 235
es la faz del poeta, transformado
en aquella figura mal hinchada.
Y cuando encuentro algún poeta honrado
(digo poeta firme y valedero,
hombre vestido bien y bien calzado), 240
luego se me figura ver un cuero,
o alguna calabaza, y desta suerte

210 *seta*: secta. (Lo mismo *setas*, en el verso 213.)
214 *comiden*: ofrecen.
215 *a complacer la bella rogadora*: sin preposición *a* ante complemento directo, no por necesidad métrica, sino porque también en prosa solía omitirlo Cervantes.
219 a Occidente.
239 *digo*: Ver III, 71.

entre contrarios pensamientos muero.
Y no sé si lo yerre o si lo acierte
en que a las calabazas y a los cueros 245
y a los poetas trate de una suerte.
Cernícalos que son lagartijeros
no esperen de gozar las preeminencias
que gozan gavilanes no pecheros.
Puestas en paz, pues, ya las diferencias 250
de Delio, y los poetas transformados
en tan vanas y huecas apariencias,
los mares y los vientos sosegados,
sumergióse Neptuno mal contento
en sus palacios de cristal labrados. 255
Las mansísimas aves por el viento
volaron, y a la bella Cipriana
pusieron en su reino a salvamento.
Y en señal que del triunfo quedó ufana
(lo que hasta allí nadie acabó con ella), 260
del luto se quitó la saboyana,
quedando en cuezo, tan briosa y bella,
que se supo después que Marte anduvo
todo aquel día y otros dos tras ella.
Todo el cual tiempo el escuadrón estuvo 265
mirando atento la fatal ruina
que la canalla transformada tuvo.
Y viendo despejada la marina,
Apolo, del socorro mal venido,
de dar fin al gran caso determina. 270

243 Comp. Garcilaso, *Égloga II*: "Y así diverso entre contrarios muero".
249 *gavilanes no pecheros*: los gavilanes, en efecto, estaban exentos del pago de pechos o tributos. "Hidalgo, como un gavilán", registra Covarrubias, quien define al *cernícalo* como "gavilán bastardo".
251 *Delio*: Ver III, 422.
256 *Las mansísimas aves*: Las palomas que conducían el carro de Venus.
257 *Cipriana*: Ver V, 119.
260 *Acabar con*: conseguir de.
262 *en cuezo*: "muy *en ropas menores*: con un cendal o camisilla". (R. M. Ver pp. 541-548.) Es decir, "en hábito sucinto y amoroso" (*Galatea*, VI).

Pero en aquel instante un gran ruido
se oyó, con que la turba se alboroza
y pone vista alerta y presto oído.
Y era quien le formaba una carroza
rica, sobre la cual venía sentado 275
el grave Don Lorenzo de Mendoza,
de su felice ingenio acompañado,
de su mucho valor y cortesía,
joyas inestimables, adornado.
Pedro Juan de Rejaule le seguía 280
en otro coche, insigne valenciano
y grande defensor de la poesía.
Sentado viene a su derecha mano
Juan de Solís, mancebo generoso,
de raro ingenio, en verdes años cano. 285
Y Juan de Carvajal, doctor famoso,
les hace tercio, y no por ser pesado
dejan de hacer su curso presuroso.
Porque el divino ingenio, al levantado
valor de aquestos tres que el coche encierra, 290
no hay impedirle monte ni collado.
Pasan volando la empinada sierra,
las nubes tocan, llegan casi al cielo,
y alegres pisan la famosa tierra.
Con este mismo honroso y grave celo, 295
Bartolomé de Mola y Gabriel Laso
llegaron a tocar del monte el suelo.
Honra las altas cimas de Parnaso
Don Diego, que de Silva tiene el nombre,

272 *se alboroza*: En tiempo de Cervantes no estaba bien deslindado el diferente sentido de *alborozarse* y *alborotarse*.
273 *alerta*, aquí, es adjetivo. Comp. *Quijote*, II, 59: "con oído alerto".
282 *grande*: El texto, *grnade*.
285 Ver II, 222.
289 R. M. enmienda: *Porque al divino ingenio, al levantado*... De igual modo podría haber enmendado: *Porque el divino ingenio, el levantado*, y no sería sino uno de los anacolutos frecuentes en Cervantes.
292-293 Comp. Fray Luis de León, "Al apartamiento": "Sierra que vas al cielo / altísima...". Ver III, 86.

y por ellas alegre tiende el paso. 300
A cuyo ingenio y sin igual renombre
toda ciencia se inclina y le obedece,
y le levanta a ser más que de hombre.
Dilátanse las sombras y descrece
el día, y de la noche el negro manto 305
guarnecido de estrellas aparece.
Y el escuadrón, que había esperado tanto
en pie, se rinde al sueño perezoso
de hambre y sed, y de mortal quebranto.
Apolo, entonces poco luminoso, 310
dando hasta los antípodas un brinco,
siguió su occidental curso forzoso.
Pero primero licenció a los cinco
poetas titulados a su ruego,
que lo pidieron con extraño ahínco, 315
por parecerles risa, burla y juego
empresas semejantes; y así, Apolo
condescendió con sus deseos luego;
que es el galán de Dafne único y solo
en usar cortesía sobre cuantos 320
descubre el nuestro y el contrario polo.
Del lóbrego lugar de los espantos
sacó su hisopo el lánguido Morfeo,
con que ha rendido y embocado a tantos.
Y del licor que dicen que es leteo, 325
que mana de la fuente del Olvido,
los párpados bañó a todos arreo.
El más hambriento se quedó dormido;
dos cosas repugnantes, hambre y sueño,

307 *habiá* por *había*. Ver III, 117.
312 El texto, *accidental*. La enmienda es de R. M.
314 *los cinco poetas titulados,* según R. M., son "los cinco poetas *títulos* de Castilla": "el Conde de Salinas, el Príncipe de Esquilache, los Condes de Saldaña y Villamediana y el Marqués de Alcañices", citados en II, 250-278.
319 *único y solo*: Ver II, 16 y 287.
324 *embocado*: embaucado.
325 *leteo*: Leo, con R. M., *leteo,* y no *Leteo,* porque aquí es, en efecto, adjetivo.
327 *arreo*: seguidamente, uno tras otro.
329 *repugnantes* entre sí, contrarias.

privilegio a poetas concedido. 330

Yo quedé, en fin, dormido como un leño,
llena la fantasía de mil cosas,
que de contallas mi palabra empeño,
por más que sean en sí dificultosas.

CAPÍTULO VI

De una de tres causas los ensueños
se causan, o los sueños, que este nombre
les dan los que del bien hablar son dueños.
Primera, de las cosas de que el hombre
trata más de ordinario; la segunda — 5
quiere la medicina que se nombre
del humor que en nosotros más abunda;
toca en revelaciones la tercera,
que en nu[e]stro bien más que las dos redunda.
Dormí, y soñé, y el sueño la primera — 10
causa le dio principio suficiente
a mezclar el ahíto y la dentera.

1-9 Comp. *Persiles,* I, 18: "...el cual [sueño], según a mi parecer, no me vino por algunas de las causas de donde suelen proceder los sueños, que, cuando son revelaciones divinas o ilusiones del demonio, proceden, o de los muchos manjares que suben vapores al cerebro, con que turban el sentido común, o ya de aquello que el hombre trata más de día". Para esta interpretación de los sueños, que arranca de Platón, ver R. M. y las eds. del *Persiles* de Schevill-Bonilla (t. I, p. 344) y Avalle-Arce (p. 137).

10 *la primera*: El texto, *la tercera.* Acepto la enmienda de R. M., no porque con ella se evite la consonancia de este *tercera* con el que ocurre dos versos atrás, sino porque lo que sigue indica que Cervantes se refiere, en efecto, a la *primera* causa de los sueños. R. M. enmienda también *al sueño,* por *el sueño,* pero puede ser otro de los anacolutos de Cervantes.

12 *dentera,* en la acepción de alargársele o ponérsele largos a uno los dientes, es decir, sentir hambre viendo comer a otro. Ver Covarrubias, s. v. *dentellada.*

Sueña el enfermo, a quien la fiebre ardiente
abrasa las entrañas, que en la boca
tiene de las que ha visto alguna fuente. 15
Y el labio al fugitivo cristal toca,
y el dormido consuelo imaginado
crece el deseo, y no la sed apoca.
Pelea el valentísimo soldado
dormido casi al modo que despierto 20
se mostró en el combate fiero armado.
Acude el tierno amante a su concierto,
y en la imaginación dormido llega,
sin padecer borrasca, a dulce puerto.
El corazón el avariento entrega 25
en la mitad del sueño a su tesoro,
que el alma en todo tiempo no le niega.
Yo, que siempre guardé el común decoro
en las cosas dormidas y despiertas,
pues no soy troglodita ni soy moro, 30
de par en par del alma abrí las puertas,
y dejé entrar al sueño por los ojos
con premisas de gloria y gusto ciertas.
Gocé durmiendo cuatro mil despojos
(que los conté sin que faltase alguno) 35
de gustos que acudieron a manojos.
El tiempo, la ocasión, el oportuno
lugar correspondían al efecto,
juntos y por sí solo cada uno.
Dos horas dormí y más a lo discreto, 40
sin que imaginaciones ni pavores
el celebro tuviesen inquïeto.

18 *crece*: acrece, hace crecer.
27 *que* está por *al cual; en todo tiempo no*: en ningún tiempo.
30 *pues no soy troglodita ni soy moro*: pues no soy un bárbaro.
33 *premisas*: esperanzas. A mi juicio, éste es uno de los mejores tercetos del *Viaje*.
39 "Cervantes deja en la indecisión, al arbitrio del lector, el verdadero carácter de sus sueños" (Del Campo).
40 *a lo discreto*: a discreción.
42 *celebro*: cerebro. Forma usual en la época. Es la que registra Covarrubias.

La suelta fantasía entre mil flores
me puso de un pradillo, que exhalaba
de Pancaya y Sabea los olores. 45
El agradable sitio se llevaba
tras sí la vista, que, durmiendo, viva
mucho más que despierta se mostraba.
Palpable vi..., mas no sé si lo escriba,
que a las cosas que tienen de imposibles 50
siempre mi pluma se ha mostrado esquiva.
Las que tienen vislumbre de posibles,
de dulces, de süaves y de ciertas,
explican mis borrones apacibles.
Nunca a disparidad abre las puertas 55
mi corto ingenio, y hállalas contino
de par en par la consonancia abiertas.
¿Cómo pueda agradar un desatino
si no es que de propósito se hace,
mostrándole el donaire su camino? 60
Que entonces la mentira satisface
cuando verdad parece y está escrita
con gracia, que al discreto y simple aplace.
Digo, volviendo al cuento, que infinita
gente vi discurrir por aquel llano, 65
con algazara placentera y grita;
con hábito decente y cortesano
algunos, a quien dio la hipocresía
vestido pobre, pero limpio y sano.
Otros, de la color que tiene el día 70
cuando la luz primera se aparece
entre las trenzas de la aurora fría.
La varïada primavera ofrece

45 *Pancaya*: Región de la Arabia Feliz, lo mismo que *Sabea*: Ver IV, 207.
50 *que tienen* algo *de imposibles.* Para este pasaje ver Américo Castro, *El pensamiento de Cervantes.*
57 *abiertas*: El texto, *abierras.* Del Campo recuerda oportunamente un pasaje del *Persiles,* III, 10, sobre la armonía en la composición literaria.
58 *pueda*: Para este subjuntivo, ver R. M.
66 *grita*: gritería.
72 Ver I, 165.

de sus varias colores la abundancia,
con que a la vista el gusto alegre crece. 75
La prodigalidad, la exorbitancia
campean juntas por el verde prado
con galas que descubren su ignorancia.
En un trono, del suelo levantado,
do el arte a la materia se adelanta, 80
puesto que de oro y de marfil labrado,
una doncella vi, desde la planta
del pie hasta la cabeza así adornada,
que el verla admira y el oírla encanta.
Estaba en él con majestad sentada, 85
giganta al parecer en la estatura,
pero, aunque grande, bien proporcionada.
Parecía mayor su hermosura
mirada desde lejos, y no tanto
si de cerca se ve su compostura. 90
Lleno de admiración, colmo de espanto,
puse en ella los ojos, y vi en ella
lo que en mis versos desmayados canto.
Yo no sabré afirmar si era doncella,
aunque he dicho que sí, que en estos casos 95
la vista más aguda se atropella.
Son, por la mayor parte, siempre escasos
de razón los juïcios maliciosos
en juzgar rotos los enteros vasos.
Altaneros sus ojos y amorosos 100
se mostraban con cierta mansedumbre,
que los hacía en todo extremo hermosos.
Ora fuese artificio, ora costumbre,
los rayos de su luz tal vez crecían,
y tal vez daban encogida lumbre. 105
Dos ninfas a sus lados asistían,

74 *varias colores*: Ver II, 357.
83-84 *así... que*: de tal modo... que.
91 *colmo*: colmado. Comp. Barahona de Soto, *Primera Parte de la Angélica,* VII: "Lleno de admiración, lleno de espanto...". Ver VIII, 385.
99 Sobre la malicia vulgar, y no vulgar, acerca de este extremo, ver abundantes ejemplos en R. M.

de tan gentil donaire y apariencia,
que, miradas, las almas suspendían.
De la del alto trono en la presencia
desplegaban sus labios en razones 110
ricas en suavidad, pobres en ciencia.
Levantaban al cielo sus blasones,
que estaban, por ser pocos o ninguno,
escritos del olvido en los borrones.
Al dulce murmurar, al oportuno 115
razonar de las dos, la del asiento
que en belleza jamás le igualó alguno,
luego se puso en pie y, en un momento,
me pareció que dio con la cabeza
más allá de las nubes, y no miento. 120
Y no perdió por esto su belleza,
antes, mientras más grande, se mostraba
igual su perfección a su grandeza.
Los brazos de tal modo dilataba,
que de do nace a donde muere el día 125
los opuestos extremos alcanzaba.
La enfermedad llamada hidropesía
así le hincha el vientre, que parece
que todo el mar caber en él podía.
Al modo destas partes, así crece 130
toda su compostura; y no por esto,
cual dije, su hermosura desfallece.
Yo, atónito, esperaba ver el resto
de tan grande prodigio, y diera un dedo
por saber la verdad segura, y presto. 135

110 *Desplegar* (que hoy diríamos, más bien, *despegar*) *los labios* solía escribir Cervantes. Comp., por ej.: "Con ninguna otra cosa responde que con bajar los ojos y no desplegar los labios". *La ilustre fregona.*

113 *ninguno*: El texto, *ningunos*. Pero la enmienda es exigida por la consonancia con *oportuno* y *alguno.*

125 Encarecimiento tópico. "De donde nace a donde muere el día", escribió también Cervantes en el "Canto de Calíope" y en el soneto "A la muerte de Don Fernando de Herrera".

127 Comp.: "Esta enfermedad es de hidropesía, que no la sanará toda el agua del mar Océano que dulcemente se bebiese". Prólogo al *Persiles.*

Uno, y no sabré quién, bien claro y quedo
al oído me habló, y me dijo: —Espera,
que yo decirte lo que quieres puedo.
Esta que ves, que crece de manera
que apenas tiene ya lugar do quepa, 140
y aspira en la grandeza a ser primera;
esta que por las nubes sube y trepa
hasta llegar al cerco de la luna
(puesto que el modo de subir no sepa),
es la que, confiada en su fortuna, 145
piensa tener de la inconstante rueda
el eje quedo y sin mudanza alguna.
Esta que no halla mal que le suceda,
ni le teme, atrevida y arrogante,
pródiga siempre, venturosa y leda, 150
es la que con disignio extravagante
dio en crecer poco a poco hasta ponerse,
cual ves, en estatura de gigante.
No deja de crecer por no atreverse
a emprender las hazañas más notables, 155
adonde puedan sus extremos verse.
¿No has oído decir los memorables
arcos, anfiteatros, templos, baños,
termas, pórticos, muros admirables,
que, a pesar y despecho de los años, 160
aún duran sus reliquias y entereza,
haciendo al tiempo y a la muerte engaños?—
Yo respondí: —Por mí, ninguna pieza
desas que has dicho, dejo de tenella
clavada y remachada en la cabeza. 165
Tengo el sepulcro de la viuda bella,

147 Ver I, 108.
150 *leda*: alegre. Era ya arcaísmo en tiempo de Cervantes. Ver Covarrubias.
151 *disignio*: Ver I, 224.
157-162 En estos dos tercetos toca Cervantes el tema, tan barroco, de las ruinas, pero no viendo en ellas, como era lo más usual, un símbolo del paso destructivo del tiempo, y de la muerte, sino del triunfo sobre su acción.
166-168 Alusión al sepulcro de Mausolo o Mausoleo de Hali-

y el coloso de Rodas allí junto,
y la lanterna que sirvió de estrella.
 Pero vengamos de quién es al punto
ésta, que lo deseo. —Haráse luego, 170
me respondió la voz en bajo punto.
 Y prosiguió diciendo: —A no estar ciego,
hubieras visto ya quién es la dama;
pero, en fin, tienes el ingenio lego.
 Esta que hasta los cielos se encarama, 175
preñada, sin saber cómo, del viento,
es hija del Deseo y de la Fama.
 Esta fue la ocasión y el instrumento
en todo y parte de que el mundo viese
no siete maravillas, sino ciento. 180
 Corto número es ciento; aunque dijese
cien mil y más millones, no imagines
que en la cuenta del número excediese.
 Esta condujo a memorables fines
edificios que asientan en la tierra 185
y tocan de las nubes los confines.
 Esta tal vez ha levantado guerra
donde la paz süave reposaba,
que en límites estrechos no se encierra.
 Cuando Mucio en las llamas abrasaba 190
el atrevido fuerte brazo y fiero,
esta el incendio horrible resfriaba.
 Esta arrojó al romano caballero

---

carnaso, al Coloso de Rodas y al faro de Alejandría, tres de "las siete maravillas del mundo".

170 *Pero vengamos de quién es al punto ésta*: Hipérbaton: Pero vengamos al punto de quién es ésta.

174 *ingenio lego*: esto es, sin cultivar. Son las propias palabras con que Tamayo de Vargas, años después, motejaría a Cervantes.

176 *Preñarse* (o *empreñarse*) *del viento* (o *del aire*) se dice de "los que se aficionan de cosa no buena, o creen de ligero". Correas.

190 *Mucio*: El texto, por evidente errata, *murio*. Se trata de Mucio Scévola y de su famosa hazaña. (Tito Livio, II, caps. XI, XII y XIII.)

191 Hipérbaton: el atrevido, fuerte y fiero brazo.

en el abismo de la ardiente cueva,
de limpio armado y de luciente acero. 195
Esta tal vez con maravilla nueva,
de su ambiciosa condición llevada,
mil imposibles atrevida prueba.
Desde la ardiente Libia hasta la helada
Citia lleva la fama su memoria, 200
en grandïosas obras dilatada.
En fin, ella es la altiva Vanagloria,
que en aquellas hazañas se entremete
que llevan de los siglos la vitoria.
Ella misma a sí misma se promete 205
triunfos y gustos, sin tener asida
a la calva Ocasión por el copete.
Su natural sustento, su bebida,
es aire, y así crece en un instante
tanto, que no hay medida a su medida. 210
Aquellas dos del plácido semblante
que tiene a sus dos lados, son aquellas
que sirven a la máquina de Atlante.
Su delicada voz, sus luces bellas,
su humildad aparente, y las lozanas 215
razones, que el amor se cifra en ellas,
las hacen más divinas que no humanas,
y son (con paz escucha y con paciencia)
la Adulación y la Mentira, hermanas.
Estas están contino en su presencia, 220

194 Alusión a la legendaria heroicidad de Marco Curcio (referida también por Tito Livio, VII, cap. VI). A ella, como a la de Mucio Scévola, aludió también Cervantes en el *Quijote,* II, 8.

195 Nuevo hipérbaton: de limpio y de luciente acero armado. Comp. Ariosto, *Orlando furioso,* XLII: "di bello armato e lucido metallo".

199-200 *Desde la ardiente Libia hasta la helada Citia*: También en las octavas a Antonio Veneziano escribió Cervantes: "En Scitia ardéis, sentís en Libia frío". El texto, *libra,* por *Libia,* y *citra,* por *Citia.*

205 Pleonasmo que no se debe a necesidad métrica, pues Cervantes lo usó también en prosa y era habitual en la época.

207 Comp.: "y trajo del copete mi cordura / a la calva Ocasión al estricote". Versos preliminares a la Parte I del *Quijote.*

217 *no* redundante.

palabras ministrándola al oído
que tienen de prudentes apariencia.
Y ella, cual ciega del mejor sentido,
no ve que entre las flores de aquel gusto
el áspid ponzoñoso está escondido. 225
Y así, arrojada con deseo injusto,
en cristalino vaso prueba y bebe
el veneno mortal, sin ningún susto.
Quien más presume de advertido, pr[u]ebe
a dejarse adular, verá cuán presto 230
pasa su gloria como el viento leve.—
Esto escuché, y en escuchando aquesto,
dio un estampido tal la Gloria vana,
que dio a mi sueño fin dulce y molesto.
Y en esto descubrióse la mañana, 235
vertiendo perlas y esparciendo flores,
lozana en vista y en virtud lozana.
Los dulces pequeñuelos ruiseñores,
con cantos no aprendidos, le decían,
enamorados della, mil amores. 240
Los silgueros el canto repetían,
y las diestras calandrias entonaban
la música que todos componían.
Unos del escuadrón priesa se daban
por que no los hallase el dios del día 245
en los forzosos actos en que estaban.

221 *ministrándola*: laísmo. Ver IV, 130.
224-225 Comp. Virgilio, Égloga III: "Frigidus, o pueri, fugite hinc, latet anguis in herba". A esta reminiscencia, y a la de Petrarca: "Questa vita terrena e quasi un prato / Che'l serpente tra'fiori e l'erba giace", citadas por R. M., añado la de Fray Luis de León en "Las Serenas a Cherinto": "Retira el pie, que asconde / sierpe mortal el prado, aunque florido / los ojos roba...".
233-234 Ver Introducción, p. 31.
238-239 Comp.: "Despiértenme las aves / con su cantar sabroso no aprendido...". Fray Luis de León, "Vida retirada". También R. M. pasa por alto esta clara reminiscencia.
246 *en los forzosos actos en que estaban*: Esta brusca "salidilla a la grosera realidad" (R. M.) recuerda lo que, como "cosa natural", le ocurrió a Sancho, con ocasión de la aventura de los batanes (I, 20), a saber, que "le vino en voluntad y deseo de hacer lo que otro no pudiera hacer por él". Aquí,

Y luego se asomó su señoría,
con una cara de tudesco roja,
por los balcones de la aurora fría.
En parte gorda, en parte flaca y floja, 250
como quien teme el esperado trance
donde verse vencido se le antoja.
En propio toledano y buen romance
les dio los buenos días cortésmente,
y luego se aprestó al forzoso lance. 255
Y encima de un peñasco puesto enfrente
del escuadrón, con voz sonora y grave
esta oración les hizo de repente:
—¡Oh espíritus felices, donde cabe
la gala del decir, la sutileza 260
de la ciencia más docta que se sabe;
donde en su propia natural belleza
asiste la hermosa Poësía
entera de los pies a la cabeza!
No consintáis, por vida vuestra y mía 265
(mirad con qué llaneza Apolo os habla),
que triunfe esta canalla que porfía.
Esta canalla, digo, que se endiabla,
que por darles calor su muchedumbre,
ya su ruina, o ya la nuestra entabla. 270
Vosotros, de mis ojos gloria y lumbre,

---

los forzosos actos contrastan con el poético amanecer. En el pasaje citado del *Quijote,* la "natural" necesidad de Sancho es el reverso de la "soledad", "escuridad" y "susurro de las hojas" en la noche, poéticamente descrita.

250 *fría... flaca y floja*: Para esta aliteración paródica, ver R. M.

253 Aquí se hace eco Cervantes de la fama que tenían de hablar buen castellano los de Toledo. Más personal fue su opinión en el *Quijote,* II, 19, cuando, a propósito del habla toledana, escribió: "El lenguaje puro, el propio, el elegante y claro, está en los discretos cortesanos, aunque hayan nacido en Majalahonda".

259 *¡Oh espíritus felices!*: "Spirto felice, che si dolcemente...", "Spirti felici, ch'or lieti sedete...". Comienzo de dos sonetos, de Petrarca y de Vittoria Colonna respectivamente, citados por R. M.

261 *que se sabe*: que se conoce.

269 *calor*: aliento.

faroles do mi luz de asiento mora,
ya por naturaleza o por costumbre,
¿habéis de consentir que esta embaidora,
hipócrita gentalla se me atreva, 275
de tantas necedades inventora?
Haced famosa y memorable prueba
de vuestro gran valor en este hecho,
que a su castigo y vuestra gloria os lleva.
De justa indignación armad el pecho, 280
acometed intrépidos la turba,
ociosa, vagamunda y sin provecho.
No se os dé nada, no se os dé una burba
(moneda berberisca, vil y baja)
de aquesta gente, que la paz nos turba. 285
El son de más de una templada caja,
y el del pífaro triste, y la trompeta,
que la cólera sube y flema abaja,
así os incite con virtud secreta,
que despierte los ánimos dormidos 290
en la facción que tanto nos aprieta.
Ya retumba, ya llega a mis oídos
del escuadrón contrario el rumor grande,
formado de confusos alaridos.
Ya es menester, sin que os lo ruegue o mande, 295
que cada cual, como guerrero experto,
sin que por su capricho se desmande,
la orden guarde y militar concierto,
y acuda a su deber como valiente
hasta quedar o vencedor o muerto. 300
En esto por la parte de poniente

272 *faroles*: faros.
274 *embaidora*: embaucadora.
284 La *burba* era moneda de cobre, acuñada en Argel. R. Rojas cree que: "El recurso de acotar una voz del verso, dentro del verso mismo", como lo hace aquí Cervantes, influyó en lo que parecía un "rasgo de buscada extravagancia" de Rubén Darío, al escribir, por ejemplo: "*Papemor (ave rara), burbules (ruiseñores)*". Ver IV, 466.
291 *facción*: facción, bando de amotinados.
298 *La orden*: Por lo general (pero no siempre, como creía R. M.), Cervantes usa esta palabra como femenina.

pareció el escuadrón casi ìnfinito
de la bárbara, ciega y pobre gente.
  Alzan los nuestros al momento un grito
alegre, y no medroso; y gritan: ¡arma! 305
"¡Arma!" resuena todo aquel distrito;
y, aunque mueran, correr quieren al arma.

306 *¡Arma!* o ¡Al arma!, ¡Alarma!

CAPÍTULO VII

Tú, belígera musa, tú, que tienes
la voz de bronce y de metal la lengua,
cuando a cantar del fiero Marte vienes;
tú, por quien se aniquila siempre y mengua
el gran género humano; tú, que puedes 5
sacar mi pluma de ignorancia y mengua;
tú, mano rota y larga de mercedes,
digo en hacellas, una aquí te pido,
que no hará que menos rica quedes.
La soberbia y maldad, el atrevido 10
intento de una gente malmirada,
ya se descubre con mortal ruïdo.
Dame una voz al caso acomodada,
una sotil y bien cortada pluma,
no de afición ni de pasión llevada, 15
para que pueda referir en suma,
con purísimo y nuevo sentimiento,
con verdad clara y entereza suma,
el contrapuesto y desigual intento
de uno y otro escuadrón, que, ardiendo en ira, 20
sus banderas descoge al vago viento.

7 *mano rota*: la del manirroto.
8 *digo*: Ver III, 71.
11 *malmirada*: desconsiderada.
19 *desigual*: difícil.
20 *ardiendo en ira*: Ver III, 203.
21 *descoge*: despliega.

El del bando católico, que mira
al falso y grande al pie del monte puesto,
que de subir al alta cumbre aspira;
con paso largo y ademán compuesto, 25
todo el monte coronan, y se ponen
a la furia, que en loca ha echado el resto.
Las ventajas tantean, y disponen
los ánimos valientes al asalto,
en quien su gloria y su venganza ponen. 30
De rabia lleno y de paciencia falto,
Apolo su bellísimo estandarte
mandó al momento levantar en alto.
Arbolóle un marqués, que el propio Marte
su briosa presencia representa 35
naturalmente, sin industria y arte.
Poeta celebérrimo y de cuenta,
por quien y en quien Apolo soberano
su gloria y gusto y su valor aumenta.
Era la insinia un cisne hermoso y cano, 40
tan al vivo pintado, que dijeras
la voz despide alegre al aire vano.
Siguen al estandarte sus banderas,
de gallardos alféreces llevadas,
honrosas por no estar todas enteras. 45
Las cajas a lo bélico templadas
al mílite más tardo vuelven presto,
de voces de metal acompañadas.
Jerónimo de Mora llegó en esto,
pintor excelentísimo y poeta, 50
Apeles y Virgilio en un supuesto.

22 *bando católico* (o *cristiano*): el bueno. Lo mismo más adelante, versos 98, 134 y 185.
26 *coronan*: en plural, por ser *escuadrón* colectivo; *se ponen* quizá sea errata por *se oponen*, como sugiere R. M.
27 *ha echado el resto*: Ver III, 154.
31 Para la posible omisión, en este punto, de un terceto en la ed. pr. del *Viaje*, ver R. M.
34 *el*: al.
40 Ver I, 105.
51 *supuesto*: sujeto.

Y con la autoridad de una jineta
(que de ser capitán le daba nombre)
al caso acude y a la turba aprieta.
Y por qué más se turbe y más se asombre 55
el enemigo desigual y fiero,
llegó el gran Biedma, de inmortal renombre.
Y con él Gaspar de Ávila, primero
secuaz de Apolo, a cuyo verso y pluma
Iciar puede envidiar, temer Sincero. 60
Llegó Juan de Meztanza, cifra y suma
de tanta erudición, donaire y gala,
que no hay muerte ni edad que la consuma.
Apolo le arrancó de Guatimala,
y le trujo en su ayuda para ofensa 65
de la canalla en todo extremo mala.
Hacer milagros en el trance piensa
Cepeda, y acompáñale Mejía,
poetas dignos de alabanza inmensa.
Clarísimo esplendor de Andalucía 70
y de la Mancha, el sin igual Galindo
llegó con majestad y bizarría.
De la alta cumbre del famoso Pindo
bajaron tres bizarros lusitanos,
a quien mis alabanzas todas rindo, 75
Con prestos pies y con valientes manos,
con Fernando Correa de la Cerda,
pisó Rodríguez Lobo monte y llanos.
Y por que Febo su razón no pierda,
el grande Don Antonio de Ataíde 80
llegó con furia alborotada y cuerda.

52 *jineta*: lanza corta, insignia de los capitanes de infantería.
59 *primero secuaz*: *primero,* sin apocopar, no por necesidad métrica. Comp. *Quijote,* I, 8: "embistió con el primero molino que estaba delante". Sin embargo, en VIII, 323: *primer mantenedor.*
60 *Sincero*: Aunque éste era el nombre poético de Gabriel López de Maldonado en la Academia de los Nocturnos, como recuerda Bonilla, parece que aquí *Sincero* es Sannazaro: Ver III, 151.
73 *Pindo*: Ver II, 152.
80 *Ataíde*: Aunque la pronunciación normal sea *Ataide,* hay que leer *Ataíde,* por la consonancia con *mide* y *pide.*

Las fuerzas del contrario ajusta y mide
con las suyas Apolo, y determina
dar la batalla, y la batalla pide.
El ronco son de más de una bocina, 85
instrumento de caza y de la guerra,
de Febo a los oídos se avecina.
Tiembla debajo de los pies la tierra
de infinitos poetas oprimida,
que dan asalto a la sagrada sierra. 90
El fiero general de la atrevida
gente, que trae un cuervo en su estandarte,
es Arbolanchez, muso por la vida.
Puestos estaban en la baja parte
y en la cima del monte, frente a frente, 95
los campos de quien tiembla el mismo Marte,
cuando una al parecer discreta gente
del católico bando al enemigo
se pasó, como en número de veinte.
Yo con los ojos su carrera sigo, 100
y, viendo el paradero de su intento,
con voz turbada al sacro Apolo digo:
—¿Qué prodigio es aqueste? ¿Qué portento?
O por mejor decir: ¿qué mal agüero,
que así me corta el brío y el aliento? 105
Aquel transfuga que partió primero,
no sólo por poeta le tenía,
pero también por bravo churrullero.
Aquel ligero que tras él corría,
en mil corrillos en Madrid le he visto 110

92 Ver I, 105.
93 *Arboláchez* aquí, y *Arbolanches* en el verso 182 de este cap. En realidad, *Arbolanche*, autor de *Los nueve libros de las Habidas* (1566), citado en el verso 183 de este cap.; *Muso*, con cambio festivo del género gramatical: poetastro; *por la vida*: de por vida.
99 *veinte* no es consonante de *frente* y *gente*.
106 *transfuga*, como *magnifico*: ver I, 36.
108 *churrullero* (*churrillero* o *chorillero*): Soldado que, cobrada la primera paga, se volvía a los *chorrillos* o bodegones —del *Chorillo* o *Chorrillo*: en italiano, *Cerriglio*, famosa hostería napolitana—, jactándose de imaginarias hazañas.

tiernamente hablar en la poesía.
Aquel tercero que partió tan listo,
por satírico, necio y por pesado
sé que de todos fue siempre malquisto.
No puedo imaginar cómo ha llevado 115
Mercurio estos poetas en su lista.
—Yo fui, respondió Apolo, el engañado;
que de su ingenio la primera vista
indicios descubrió que serián buenos
para facilitar esta conquista. 120
—Señor, repliqué yo, creí que ajenos
eran de las deidades los engaños,
digo, engañarse en poco más ni menos.
La Prudencia, que nace de los años
y tiene por maestra la Experiencia, 125
es la deidad que advierte destos daños.
Apolo respondió: —Por mi conciencia,
que no te entiendo—, algo turbado y triste
por ver de aquellos veinte la insolencia.
Tú, sardo militar, Lofraso, fuiste 130
uno de aquellos bárbaros corrientes
que del contrario el número creciste.
Mas no por esta mengua los valientes
del escuadrón católico temieron,
poetas madrigados y excelentes. 135
Antes tanto coraje concibieron
contra los fugitivos corredores,

111 *hablar en*: Comp. *Quijote,* I, 8: "y hablando en la pasada aventura...".
119 *serián,* por *serían*. Ver III, 117.
123 *digo*: Ver III, 71. "Este curioso diálogo es una muestra de lo que de intencionado y profundo tiene el *Viaje* cervantino." (Del Campo.)
130 *Lofraso*: El texto, por errata, *Lafraso*.
131 *corrientes*: que corrieron, pasándose al enemigo.
132 *uno de aquellos... que... creciste*: por *que creció*. Comp. *Quijote,* I, 29: "Yo... soy el que *me hallé* (por *se halló*) presente...", etc. Como recuerda R. M., esta concordancia se daba ya en latín. Comp. Virgilio, *Eneida,* I, versos iniciales: "*Ille ego* qui quondam gracili modulatus avena / Carmen, et egressus silvis, vicina *coegi*".
135 *madrigados*: expertos.

que riza en ellos y matanza hicieron.
¡Oh falsos y malditos trovadores,
que pasáis plaza de poetas sabios, 140
siendo la hez de los que son peores!
Entre la lengua, paladar y labios
anda contino vuestra poësía,
haciendo a la virtud cien mil agravios.
Poetas de atrevida hipocresía, 145
esperad, que de vuestro acabamiento
ya se ha llegado el temeroso día.
De las confusas voces el concento
confuso por el aire resonaba,
de espesas nubes condensando el viento. 150
Por la falda del monte gateaba
una tropa poética, aspirando
a la cumbre, que bien guardada estaba.
Hacían hincapié de cuando en cuando,
y con hondas de estallo y con ballestas 155
iban libros enteros disparando.
No del plomo encendido las funestas
balas pudieran ser dañosas tanto,
ni al disparar pudieran ser más prestas.
Un libro mucho más duro que un canto 160
a Jusepe de Vargas dio en las sienes,
causándole terror, grima y espanto.
Gritó, y dijo a un soneto: —Tú, que vienes
de satírica pluma disparado,
¿por qué el infame curso no detienes?— 165
Y cual perro con piedras irritado,
que deja al que las tira y va tras ellas,

138 *riza*: destrozo, estrago.
139 "Cervantes aplica la palabra *trovadores* con dejo claramente despectivo a lo largo de su obrita" (Del Campo). Y fuera de ella. Así, en *La ilustre fregona*: "Allá irás mentecato trovador de Judas..."; y en el *Quijote*, II, 38: "que los tales trovadores con justo título los debían desterrar a las islas de los Lagartos".
149 *concento confuso*: Paradoja irónica.
155 *honda de estallo* (= estallido): la provista de crujidero, que la hace estallar o restrallar.
161 *en las sienes*, por *en la sien*, a causa de la costumbre de usar esta voz en plural.

cual si fueran la causa del pecado,
entre los dedos de sus manos bellas
hizo pedazos al soneto altivo, 170
que amenazaba al sol y a las estrellas.
Y díjole Cilenio: —¡Oh rayo vivo
donde la justa indignación se muestra
en un grado y valor superlativo,
la espada toma en la temida diestra, 175
y arrójate valiente y temerario
por esta parte, que el peligro adiestra!
En esto del tamaño de un breviario
volando un libro por el aire vino,
de prosa y verso, que arrojó el contrario. 180
De verso y prosa el puro desatino
nos dio a entender que de Arbolanches eran
las *Habidas* pesadas de contino.
Unas *Rimas* llegaron que pudieran
desbaratar el escuadrón cristiano 185
si acaso vez segunda se imprimieran.
Dióle a Mercurio en la derecha mano

172 *Cilenio*: Ver I, 209.
178 *del tamaño de un breviario*: hipérbole irónica y un tanto irreverente, comparable a la del *Quijote,* I, 26: "pero, ¿qué haré de rosario, que no le tengo? En esto le vino al pensamiento cómo le haría, y fue que *rasgó una gran tira de las faldas de la camisa, que andaban colgando,* y dióle once ñudos, el uno más gordo que los demás, y esto le sirvió de rosario el tiempo que allí estuvo, donde rezó un millón de avemarías". Este pasaje fue sustituido por otro en la 2.ª ed. Las palabras subrayadas por mí fueron censuradas por la Inquisición portuguesa en 1624.
183 R. M. —como antes Menéndez Pelayo— achaca a Cervantes "dos inexactitudes": decir que *Las Habidas* era un libro *del tamaño de un breviario,* cuando abultaba poco; y que *es de prosa y verso,* "siendo así que no tiene más que una página de prosa: la en que explica el argumento". Respecto de esto último, piensa R. M. si Cervantes no escribiría *prosiverso* y *versiprosa,* lo que "estaría muy en su lugar", por ser una obra de verso tan deficiente. Pues bien, eso es lo que Cervantes quiso dar a entender, aunque no escribiera *prosiverso* y *versiprosa.* La insistencia, en dos versos consecutivos, de su afirmación, hace pensar que Cervantes sabía muy bien lo que se decía. En cuanto a lo de *breviario* quiso, sin duda, indicar, no su tamaño material, sino su hinchazón y pesadez poéticas.

una sátira antigua licenciosa,
de estilo agudo, pero no muy sano.
De una intricada y mal compuesta prosa, 190
de un asunto sin jugo y sin donaire,
cuatro novelas disparó Pedrosa.
Silbando recio y desgarrando el aire,
otro libro llegó de *Rimas* solas,
hechas al parecer como al desgaire. 195
Viólas Apolo, y dijo, cuando viólas:
—Dios perdone a su autor, y a mí me guarde
de algunas *Rimas* sueltas españolas.—
Llegó el *Pastor de Iberia,* aunque algo tarde,
y derribó catorce de los nuestros, 200
haciendo de su ingenio y fuerza alarde.
Pero dos valerosos, dos maestros,
dos lumbreras de Apolo, dos soldados,
únicos en hablar y en obrar diestros,
del monte puestos en opuestos lados, 205
tanto apretaron a la turbamulta,
que volvieron atrás los encumbrados.
Es Gregorio de Angulo el que sepulta
la canalla, y con él Pedro de Soto,
de prodigioso ingenio y vena culta. 210
Doctor aquel, estotro único y docto
licenciado, de Apolo ambos secuaces,
con raras obras y ánimo devoto.
Las dos contrarias indignadas haces
ya miden las espadas, ya se cierran, 215
duras en su tesón y pertinaces.
Con los dientes se muerden, y se aferran
con las garras, las fieras imitando,
que toda pïedad de sí destierran.
Haldeando venía y trasudando 220

188 *una sátira antigua licenciosa*: R. M. conjetura que podría tratarse de las *Coplas del Provincial*, o de las de *¡Ay, Panadera!*
209 *canalla*: El texto, *cañalla.*
215 *se cierran*: se acometen.
220 *Haldear*: Andar de prisa el que lleva faldas.

el autor de *La Pícara Justina,*
capellán lego del contrario bando.
 Y cual si fuera de una culebrina,
disparó de sus manos su librazo,
que fue de nuestro campo la ruina. 225
 Al buen Tomás Gracián mancó de un brazo,
a Medinilla derribó una muela
y le llevó de un muslo un gran pedazo.
 Una despierta nuestra centinela
gritó: —¡Todos abajen la cabeza, 230
que dispara el contrario otra novela!—
 Dos pelearon una larga pieza,
y el uno al otro con instancia loca,
de un envión, con arte y con destreza,
 seis seguidillas le encajó en la boca, 235
con que le hizo vomitar el alma,
que salió libre de su estrecha roca.
 De la furia el ardor, del sol la calma
tenía en duda de una y otra parte
la vencedora y pretendida palma. 240
 Del cuervo en esto el lóbrego estandarte
cede al del cisne, porque vino al suelo,
pasado el corazón de parte a parte,
 su alférez, que era un andaluz mozuelo,
trovador repentista, que subía 245
con la soberbia más allá del cielo;
 helósele la sangre que tenía,
murióse, cuando vio que muerto estaba,
la turba, pertinaz en su porfía.
 Puesto que ausente el gran Lupercio estaba, 250

221 *La Pícara Justina*: Novela picaresca (1605), atribuida generalmente a Francisco López de Úbeda.
229 *centinela*: Ver I, 308.
232 *una larga pieza* de tiempo, un largo rato.
234 *envión*: empellón, empujón.
245 *trovador repentista*: Ver III, 365.
246 Según Medina, el *andaluz mozuelo* de este terceto sería Alonso Álvarez de Soria, que murió ahorcado. R. M. objeta que Cervantes rara vez aludió en el *Viaje* a individuos ya fallecidos.

con un solo soneto suyo hizo
lo que de su grandeza se esperaba.
  Descuadernó, desencajó, deshizo
del opuesto escuadrón catorce hilèras,
dos criollos mató, hirió un mestizo. 255
  De sus sabrosas burlas y sus veras
el magno cordobés un cartapacio
disparó, y aterró cuatro banderas.
  Daba ya indicios de cansado y lacio
el brío de la bárbara canalla, 260
peleando más flojo y más despacio.
  Mas renovóse la fatal batalla
mezclándose los unos con los otros;
ni vale arnés, ni presta dura malla.
  Cinco melifluos sobre cinco potros 265
llegaron, y embistieron por un lado,
y lleváronse cinco de nosotros.
  Cada cual como moro ataviado,
con más letras y cifras que una carta
de príncipe enemigo y recatado. 270
  De romances moriscos una sarta,
cual si fuera de balas enramadas,
llega con furia y con malicia harta.
  Y a no estar dos escuadras avisadas
de las nuestras, del recio tiro y presto 275
era fuerza quedar desbaratadas.
  Quiso Apolo, indignado, echar el resto
de su poder y de su fuerza sola,
y dar al enemigo fin molesto.
  Y una sacra canción, donde acrisola 280
su ingenio, gala, estilo y bizarría
Bartolomé Leonardo de Argensola,

251 Bonilla recuerda que el más famoso soneto de Lupercio L. de Argensola es el que comienza: "Imagen espantosa de la muerte...".
257 *el magno cordobés*: Góngora.
272 *bala enramada*: la unida a otra mediante una barra de hierro.
277 *echar el resto*: Ver III, 154.
280 *una sacra canción*: El texto, *un sacra Canaon*.

cual si fuera un petarte, Apolo envía
adonde está el tesón más apretado,
más dura y más furiosa la porfía. 285

Cuando me paro a contemplar mi estado,
comienza la canción, que Apolo pone
en el lugar más noble y levantado.

Todo lo mira, todo lo dispone
con ojos de Argos, manda, quita y veda, 290
y del contrario a todo ardid se opone.

Tan mezclados están, que no hay quien pueda
discernir cuál es malo o cuál es bueno,
cuál es garcilasista o timoneda.

Pero un mancebo, de ignorancia ajeno, 295
grande escudriñador de toda historia,
rayo en la pluma y en la voz un trueno,

llegó, tan rica el alma de memoria,
de sana voluntad y entendimiento,
que fue de Febo y de las Musas gloria. 300

Con esto aceleróse el vencimiento,
porque supo decir: Este merece
gloria, pero aquel no, sino tormento.

Y como ya con distinción parece
el justo y el injusto combatiente, 305
el gusto al peso de la pena crece.

Tú, Pedro Mantuano el excelente,
fuiste quien distinguió de la confusa
máquina el que es cobarde del valiente.

Julián de Almendárez no rehúsa, 310
puesto que llegó tarde, en dar socorro

283 *petarte*: petardo, morterete. El texto, por errata: *petrarte*.
286 Verso inicial de un soneto de Garcilaso, con el que comienzan también, a imitación suya, otros dos sonetos; uno de Sebastián de Córdoba y otro de Lope de Vega, además de la *canción* de B. L. de Argensola, incluida en las *Rimas* (1634) de ambos hermanos.
290 *manda, quita y veda*: Ver III, 357.
294 *timoneda*: adjetivo neológico de Cervantes, que aquí opone los partidarios de la métrica italiana a los defensores de los metros tradicionales españoles.
305 *combatiente*: El texto, *con batiente*.
306 *al peso*: al nivel.

al rubio Delio con su ilustre musa.
 Por las rucias que peino, que me corro
de ver que las comedias endiabladas
por divinas se pongan en el corro. 315
 Y, a pesar de las limpias y atildadas
del cómico mejor de nuestra Hesperia,
quieren ser conocidas y pagadas.
 Mas no ganaron mucho en esta feria,
porque es discreto el vulgo de la corte, 320
aunque le toca la común miseria.
 De llano no le deis, dadle de corte,
estancias polifemas, al poeta
que no os tuviere por su guía y norte.
 Inimitables sois, y la discreta 325
gala que descubrís en lo escondido,
toda elegancia puede estar sujeta.
 Con estas municiones el partido
nuestro se mejoró de tal manera,
que el contrario se tuvo por vencido. 330
 Cayó su presunción soberbia y fiera,
derrúmbanse del monte abajo cuantos
presumieron subir por la ladera.
 La voz prolija de sus roncos cantos
el mal suceso con rigor la vuelve 335
en interrotos y funestos llantos.
 Tal hubo, que cayendo se resuelve
de asirse de una zarza o cabrahigo,
y en llanto, a lo de Ovidio, se disuelve.

312 *Delio*: Ver III, 422.
313 *por las rucias* barbas: juramento habitual.
318 *quieren*: R. M. enmienda *quieran*.
323 *estancias polifemas*: Bonilla no "convierte a Cervantes en crítico mordaz de Góngora", como afirma R. M. Sólo dice que aquí hay "alusión a la oscuridad de las octavas de la *Fábula de Polifemo y Galatea* (1613)", y tal alusión es evidente en las palabras del verso anterior: *De llano no le déis*..., y también *en lo escondido*, tres versos más abajo.
336 *interrotos*: Cervantes usó también este participio en *La Galatea* y en el *Quijote*.
339 Alusión a Biblis, hija de Mileto y nieta de Apolo, la cual, de tanto llorar por no haber podido enamorar a Cauno, quedó convertida en fuente. Ovidio, *Metamorfosis*, IX.

Cuatro se arracimaron a un quejigo 340
como enjambre de abejas desmandada,
y le estimaron por el lauro amigo.
Otra cuadrilla, virgen por la espada,
y adúltera de lengua, dio la cura
a sus pies, de su vida almidonada. 345
Bartolomé llamado de Segura
el toque casi fue del vencimiento:
tal es su ingenio y tal es su cordura.
Resonó en esto por el vago viento
la voz de la vitoria, repetida 350
del número escogido en claro acento.
La miserable, la fatal caída,
de las Musas del limpio Tagarete
fue largos siglos con dolor plañida.
A la parte del llanto, ¡ay me!, se mete 355
Zapardïel, famoso por su pesca,
sin que un pequeño instante se quïete.
La voz de la vitoria se refresca;
"¡vitoria!" suena aquí y allí, vitoria
adquirida por nuestra soldadesca, 360
que canta alegre la alcanzada gloria.

341 Tiene razón R. M. al suponer que puede haber reminiscencia de este verso en el de Bécquer: "Como enjambre de abejas irritadas...". Ver II, 392.
343 *virgen por la espada*: quien nunca la ha empuñado, el cobarde. Aquí, *espada* es, a la vez, eufemismo, por "miembro viril": Ver, dos versos más abajo, *vida almidonada*.
344 *la cura*: el cuidado.
345 *vida almidonada*: la afeminada y regalada. Ver V, 209.
351 *número escogido*: Ver III, 459.
353 *Tagarete*: Arroyo de Sevilla, de aguas sucias y malolientes, como las tenían también el Zapardiel y el Esgueva.
355 *¡ay me!*: ¡ay de mí! (italianismo).
356 *Zapardiel*: Afluente del Duero.
357 *quiete*: aquiete.

CAPÍTULO VIII

Al caer de la máquina excesiva
del escuadrón poético arrogante
que en su no vista muchedumbre estriba,
un poeta, mancebo y estudiante,
dijo: —Caí, paciencia; que algún día 5
será la nuestra, mi valor mediante.
De nuevo afilaré la espada mía,
digo mi pluma, y cortaré de suerte
que dé nueva excelencia a la porfía.
Que ofrece la comedia, si se advierte, 10
largo campo al ingenio, donde pueda
librar su nombre del olvido y muerte.
Fue desto ejemplo Juan de Timoneda,
que, con sólo imprimir, se hizo eterno,
las comedias del gran Lope de Rueda. 15
Cinco vuelcos daré en el propio infierno
por hacer recitar una que tengo
nombrada: *El gran bastardo de Salerno.*
Guarda, Apolo, que baja (guarte, Rengo)
el golpe de la mano más gallarda 20

1 *máquina*: muchedumbre.
17 *recitar*: representar.
18 *El gran bastardo de Salerno*: "Título y comedia probablemente, de la invención de Cervantes". R. M.; *nombrada*: llamada, titulada.
19-20 Imitación deliberada de *La Araucana,* XIX: "¡Guarte, Rengo, que baja, guarda, guarda, / con gran rigor y furia acelerada, / el golpe de la mano más gallarda...". *Guarte* (guárdate): el texto, *guarde.*

que ha visto el tiempo en su discurso luengo.—
  En esto el claro son de una bastarda
alas pone en los pies de la vencida
gente del mundo perezosa y tarda.
  Con la esperanza del vencer perdida, 25
no hay quien no atienda con ligero paso,
si no a la honra, a conservar la vida.
  Desde las altas cumbres de Parnaso
de un salto uno se puso en Guadarrama,
nuevo, no visto y verdadero caso. 30
  Y al mismo paso la parlera Fama
cundió del vencimiento la alta nueva,
desde el claro Caïstro hasta Jarama.
  Lloró la gran vitoria el turbio Esgueva,
Pisuerga la rió, rióla Tajo, 35
que en vez de arena granos de oro lleva.
  Del cansancio, del polvo y del trabajo
las rubicundas hebras de Timbreo,
del color se pararon de oro bajo.
  Pero, viendo cumplido su deseo, 40
al son de la guitarra mercuriesca
hizo de la gallarda un gran paseo.
  Y de Castalia en la corriente fresca
el rostro se lavó, y quedó luciente
como de acero la segur turquesca. 45
  Pulióse luego, y adornó su frente
de majestad mezclada con dulzura,

22 *bastarda*: "*Trompeta bastarda,* la que media entre la trompeta que tiene el sonido fuerte y grave y entre el clarín, que le tiene delicado y agudo". Covarrubias, s.v. *bastardo*.
32 *cundió*: hizo cundir, difundió. Es transitivo.
33 *Caístro*: Río de Lidia que desemboca en el Egeo.
35 *Pisuerga... Tajo*: Sin artículo. Comp. *Aranda de Duero, Lazarillo de Tormes,* etc. Quevedo pudo recordar estos versos de Cervantes en los suyos del soneto a la memoria del duque de Osuna: "Dióle el mejor lugar Marte en su cielo; / la Mosa, el Rhin, el Tajo y el Danubio / murmuran con dolor su desconsuelo".
38 *Timbreo*: Ver IV, 69.
39 *pararse*: ponerse; *oro bajo* de ley.
42 *la gallarda*: Danza palaciega, pero que se hizo muy popular. Se bailaba, a diferencia de las demás, con el sombrero en la mano, y no puesto.
43 *Castalia*: Ver III, 363.

indicios claros del placer que siente.
Las reinas de la humana hermosura
salieron de do estaban retiradas 50
mientras duraba la contienda dura;
del árbol siempre verde coro[na]das,
y en medio la divina Poësía,
todas de nuevas galas adornadas.
Melpómene, Tersícore y Talía, 55
Polimnia, Urania, Erato, Euterpe y Clío,
y Calíope, hermosa en demasía,
muestran ufanas su destreza y brío,
tejiendo una entricada y nueva danza
al dulce son de un instrumento mío. 60
Mío, no dije bien; mentí a la (a)usanza
de aquel que dice propios los ajenos
versos que son más dignos de alabanza.
Los anchos prados y los campos llenos
están de las escuadras vencedoras 65
(que siempre van a más y nunca a menos),
esperando de ver de sus mejoras
el colmo con los premios merecidos
por el sudor y aprieto de seis horas.
Piensan ser los llamados escogidos, 70
todos a premios de grandeza aspiran,
tiénense en más de lo que son tenidos;
ni a calidades ni riquezas miran,
a su ingenio se atiene cada uno,
y si hay cuatro que acierten, mil deliran. 75
Mas Febo, que no quiere que ninguno
quede quejoso dél, mandó a la Aurora
que vaya y coja *in tempore oportuno,*

51 Obsérvese el juego: "mientras *duraba* la contienda *dura*".
52 el *árbol siempre verde*: el laurel.
56 *Euterpe*: El texto, por errata, *Euterpi.*
57 En tiempo de Cervantes se decía indistintamente *Melpómene* y *Melpomene, Calíope* y *Caliope* (ver II, 308). La métrica no permite asegurar la pronunciación usada en estos versos.
62 El texto, por errata que hace cojo el verso: *del que dize propios los ajenos.* La enmienda es de Medina.
70 Ver II, 39.
78 *in tempore oportuno*: Locución bíblica (Salmo CXLIV, 15), usada también en el lenguaje jurídico.

de las faldas floríferas de Flora
cuatro tabaques de purpúreas rosas, 80
y seis de perlas de las que ella llora.
Y de las nueve por extremo hermosas
las coronas pidió, y al darlas ellas
en nada se mostraron perezosas.
Tres, a mi parecer, de las más bellas 85
a Parténope sé que se enviaron,
y fue Mercurio el que partió con ellas.
Tres sujetos las otras coronaron,
allí en el mesmo monte peregrinos,
con que su patria y nombre eternizaron. 90
Tres cupieron a España, y tres divinos
poetas se adornaron la cabeza,
de tanta gloria justamente dignos.
La Envidia, monstruo de naturaleza,
maldita y carcomida, ardiendo en saña, 95
a murmurar del sacro don empieza.
Dijo: —¿Será posible que en España

79 Aliteración humorística. *Flora*: "una diosa de la gentilidad... dicha así porque presidía en las flores y las conservaba que el viento no las quemase" (Covarrubias).
81 *ella*: la Aurora. Ver VI, 236-237.
86 *Parténope*: Ver III, 158.
92 *...tres divinos poetas*: De las nueve coronas repartidas, las tres enviadas a *Parténope* (Nápoles) parece que serían para Quevedo y los Argensola, que estaban allí con el conde de Lemos. Los *tres divinos poetas* (según Clemencín, ed. del *Quijote,* II, 4), serían Francisco de Figueroa, Francisco de Aldana y Fernando de Herrera. R. M. arguye que Garcilaso —y "muchos" otros: Barahona de Soto, Miguel Sánchez, Alonso de Ledesma, etc.— también fueron llamados *divinos,* si bien en las pp. 184 y 360 había indicado que "Cervantes, con excepciones muy contadas, sólo mencionó en su poemita a ingenios que vivían cuando lo escribió". Si las nueve coronas fueron para nueve poetas vivos hacia 1612, habría que eliminar, además de Garcilaso, a Herrera († 1597) y Aldana († 1578). Todo lo cual, por lo demás, es pura anécdota que no ha de entretenernos más.
94 *monstruo de naturaleza*: Con sólo ver que *monstruo de naturaleza* se dice aquí de *la Envidia,* puede juzgarse del equívoco elogio que a Lope de Vega dedicó Cervantes en el prólogo a sus *Comedias*: "...dejé la pluma y las comedias, y entró luego el monstruo de naturaleza, el gran Lope de Vega".
95 *ardiendo en saña*: Ver III, 203.

haya nueve poetas laureados?
Alta es de Apolo, pero simple hazaña.—
Los demás de la turba, defraudados 100
del esperado premio, repetían
los himnos de la Envidia mal cantados.
Todos por laureados se tenían
en su imaginación, antes del trance,
y al cielo quejas de su agravio envían. 105
Pero ciertos poetas de romance,
del generoso premio hacer esperan,
a despecho de Febo, presto alcance.
Otros, aunque latinos, desesperan
de tocar del laurel sólo una hoja, 110
aunque del caso en la demanda mueran.
Véngase menos el que más se enoja,
y alguno se tocó sienes y frente,
que de estar coronado se le antoja.
Pero todo deseo impertinente 115
Apolo repartió, premiando a cuantos
poetas tuvo el escuadrón valiente.
De rosas, de jazmines y amarantos
Flora le presentó cinco cestones,
y la Aurora, de perlas, otros tantos. 120
Estos fueron, lector dulce, los dones
que Delio repartió con larga mano
entre los poetísimos varones.
Quedando alegre cada cual y ufano
con un puño de perlas y una rosa, 125

98 *¿Será posible que en España haya nueve poetas laureados?*: Ver Introducción, p. 11.

120 Del Campo repara minuciosamente: "Antes (VIII, 80-81) habló Cervantes de cuatro tabaques de rosas y seis de perlas". Pero allí se trataba de lo que la Aurora debía recoger de Flora; aquí, de lo que la Aurora y Flora dan, así que ni siquiera puede tacharse a Cervantes de tan leve contradicción.

122 *Delio*: Ver III, 422.

123 *poetísimos*: No es superlativo neológico de Cervantes. R. M. recuerda que antes lo emplearon, al menos, otros dos escritores: Alonso de la Vega y Juan de la Cueva.

125 *puño*: puñado.

estimando el premio sobrehumano;
y por que fuese más maravillosa
la fiesta y regocijo que se hacía
por la vitoria insigne y prodigiosa,
la buena, la importante Poësía 130
mandó traer la bestia cuya pata
abrió la fuente de Castalia fría.
Cubierta de finísima escarlata,
un lacayo la trujo en un instante,
tascando un freno de bruñida plata. 135
Envidiarle pudiera Rocinante
al gran Pegaso de presencia brava,
y aun B[r]illadoro, el del señor de Anglante.
Con no sé cuántas alas adornaba
manos y pies, indicio manifiesto 140
que en ligereza al viento aventajaba.
Y por mostrar cuán ágil y cuán presto
era, se alzó del suelo cuatro picas,
con un denuedo y ademán compuesto.
Tú, que me escuchas, si el oído aplicas 145
al dulce cuento deste gran *Vïaje,*
cosas nuevas oirás de gusto ricas.

126 Verso que, por creerlo falto de una sílaba, lo han corregido muchos editores de diversos modos: *estimando este premio...*; *estimando el tal premio,* lee R. M., diciendo de Bonilla, que no enmendó el texto, que su "oído versificatorio dejaba algo que desear"; y no admitiendo, con razón, la explicación de Medina, según el cual "para la cabal medida del verso habrá que aspirar la *h* de *humano*". Aunque puede que la lección de la ed. pr. sea defectuosa, y la enmienda de R. M. sea aceptable, no toco el texto. También el oído versificatorio de Cervantes dejaba algo que desear. Para que haya endecasílabo basta con no hacer sinalefa en *estimando el...*

132 *...abrió la fuente de Castalia fría*: ¿Por qué cree R. M. que Cervantes "trabuca" aquí la fuente Castalia con la Hipocrene, si reconoce que "las había distinguido bien en el capítulo III" (versos 367 y 385-386)?

138 *Brilladoro* (*Brigliadoro*) es el nombre del caballo del *Señor de Anglante* (Roldán), en el *Orlando furioso* de Ariosto. Comp. *Quijote,* fin de la Parte I, el soneto que termina: "pues hasta Rocinante en ser gallardo / excede a Brilladoro y a Bayardo".

146 Ver Introducción, p. 25.

Era del bel trotón todo el herraje
de durísima plata diamantina,
que no recibe del pisar ultraje. 150
De la color que llaman columbina
de raso en una funda trae la cola,
que, suelta, con el suelo se avecina.
Del color del carmín o de amapola
eran sus clines, y su cola gruesa, 155
ellas solas al mundo, y ella sola.
Tal vez anda despacio, y tal apriesa,
vuela tal vez, y tal hace corvetas,
tal quiere relinchar, y luego cesa.
¡Nueva felicidad de los poetas! 160
Uno sus excrementos recogía
en dos de cuero grandes barjuletas.
Pregunté para qué lo tal hacía.
Respondióme Cilenio a lo bellaco,
con no sé qué vislumbres de ironía: 165
—Esto que se recoge es el tabaco,
que a los váguidos sirve de cabeza
de algún poeta de celebro flaco.
Urania de tal modo lo adereza,
que, puesto a las narices del doliente, 170
cobra salud y vuelve a su entereza.—
Un poco entonces arrugué la frente,

148 *bel*: bello (italianismo).
151 *columbina*: amoratada. Ver II, 357.
155 *clines*: crines.
156 Ver II, 16.
162 *barjuletas*: especie de mochilas; *en dos de cuero grandes barjuletas*: Hipérbaton no tan exagerado como *en una de fregar cayó caldera,* pero digno de nota.
164 *Cilenio*: Ver: I, 209.
165 La ed. pr., versos 161-163: "*Unos* sus excrementos *recogían* / en dos de cuero grandes barjuletas. / Pregunté para qué lo tal *hacían*". Pero la consonancia con *ironía* pide la enmienda del texto, en la cual sigo a R. M. *Vislumbres*: El texto, *volumbres.*
166 Única mención del *tabaco* en toda la obra de Cervantes.
167 *que a los váguidos sirve de cabeza*: Es decir: que sirve a los váguidos de cabeza. "Transposición anfibológica", como dice R. M., obligada por la pronunciación *váguidos,* y no vaguidos.
168 *celebro*: Ver VI, 42.

ascos haciendo del remedio extraño,
tan de los ordinarios diferente.
—Recibes, dijo Apolo, amigo, engaño 175
(leyóme el pensamiento). Este remedio
de los váguidos cura y sana el daño.
No come este rocín lo que en asedio
duro y penoso comen los soldados,
que están entre la muerte y hambre en medio. 180
Son deste tal los piensos regalados
ámbar y almizcle entre algodones puesto,
y bebe del rocío de los prados.
Tal vez le damos de almidón un cesto,
tal de algarrobas con que el vientre llena, 185
y no se estriñe ni se va por esto.
—Sea, le respondí, muy norabuena;
tieso estoy de celebro por ahora,
vág[u]ido alguno no me causa pena.—
La nuestra, en esto, universal señora, 190
digo la Poësía verdadera,
que con Timbreo y con las Musas mora,
en vestido sucinto, a la ligera,
el monte discurrió y abrazó a todos,
hermosa sobre modo y placentera. 195
—¡Oh sangre vencedora de los godos!,
dijo, de aquí adelante ser tratada
con más süaves y discretos modos
espero ser, y siempre respectada
del ignorante vulgo, que no alcanza 200
que, puesto que soy pobre, soy honrada.
Las riquezas os dejo en esperanza,

180 *que están entre la muerte y hambre en medio*: *entre* y *en medio*, pleonasmo comparable a *entre* y *entre*: Ver IV, 113.
186 *se va*: *Irse*, descomponerse el vientre.
182 *entre algodones*: "Tener a uno o llevarle entre algodones es regalarle como a cosa muy delicada y quebradiza". Covarrubias.
188 *celebro*: Ver VI, 42.
192 *Timbreo*: Ver IV, 69.
193 *sucinto*: El texto, *subcinto*.
195 *sobremodo*: italianismo.
199 *respectada*: El texto, por errata: *espectada*.

pero no en posesión, premio seguro
que al reino aspira de la inmensa holganza.
  Por la belleza deste monte os juro 205
que quisiera al más mínimo entregalle
un privilegio de cien mil de juro.
  Mas no produce minas este valle,
aguas sí, salutíferas y buenas,
y monas que de cisnes tienen talle. 210
  Volved a ver, ¡oh amigos!, las arenas
del aurífero Tajo en paz segura
y en dulces horas de pesar ajenas.
  Que esta inaudita hazaña os asegura
eterno nombre en tanto que dé Febo 215
al mundo aliento, y luz serena y pura.—
  ¡Oh maravilla nueva, oh caso nuevo,
digno de admiración que cause espanto,
cuya extrañeza me admiró de nuevo!
  Morfeo, el dios del sueño, por encanto 220
allí se apareció, cuya corona
era de ramos de beleño santo.
  Flojísimo de brío y de persona,
de la Pereza torpe acompañado,
que no le deja a vísperas ni a nona. 225
  Traía al Silencio a su derecho lado,
el Descuido al siniestro, y el vestido
era de blanda lana fabricado.
  De las aguas que llaman del Olvido
traía un gran caldero, y de un hisopo 230
venía como aposta prevenido.
  Asía a los poetas por el hopo,
y aunque el caso los rostros les volvía

207 *juro*: pensión regia.
210 *minas... y monas*: "travieso jueguecillo" de palabras. R. M.; *talle*: aspecto.
217-219 Versos que recuerdan algunos del famoso soneto "Al túmulo de Felipe II en Sevilla".
229 Comp. Garcilaso, *Égloga III*: "...hará parar las aguas del olvido". La estrofa de Garcilaso que termina con este verso fue íntegramente copiada por Cervantes en el *Quijote*, II, 69. Estas *aguas del olvido* son las del Leteo. Ver V, 325.
232 *hopo*: copete o mechón del cabello.

en color encendida de piropo,
él nos bañaba con el agua fría, 235
causándonos un sueño de tal suerte,
que dormimos un día y otro día.
Tal es la fuerza del licor, tan fuerte
es de las aguas la virtud, que pueden
competir con los fueros de la muerte. 240
Hace el ingenio alguna vez que queden
las verdades sin crédito ninguno,
por ver que a toda contingencia exceden.
Al despertar del sueño así importuno,
ni vi monte ni monta, dios ni diosa, 245
ni de tanto poeta vide alguno.
Por cierto, extraña y nunca vista cosa:
despabilé la vista, y parecióme
verme en medio de una ciudad famosa.
Admiración y grima el caso diome; 250
torné a mirar, porque el temor o engaño
no de mi buen discurso el paso tome.
Y díjeme a mí mismo: No me engaño;
esta ciudad es Nápoles la ilustre,
que yo pisé sus rúas más de un año; 255
de Italia gloria, y aun del mundo lustre,
pues de cuantas ciudades él encierra,
ninguna puede haber que así le ilustre;
apacible en la paz, dura en la guerra,
madre de la abundancia y la nobleza, 260
de elíseos campos y agradable sierra.

234 Color rojo de fuego. Ver II, 357.
245 Negación popular por masculino y femenino, equivalente a *nada*. Este tipo de negación abunda en el *Quijote*.
246 *vide*: arcaísmo, por *vi*.
249 *verme en medio de una ciudad famosa* no puede considerarse endecasílabo. Pero no creo, como R. M., que Cervantes: "Quizá escribió *en mitad*, y por huir de una consonancia dio en cosa peor". A Cervantes no le preocupaban demasiado ni la consonancia ni la buena versificación. Ver IV, 535.
252 *tome*: tomase. Tampoco cuidaba demasiado Cervantes de la *concordantia temporum*, y resulta impertinente que R. M. le "diga" en verso cómo "habría remediado esta impropiedad".

Si váguidos no tengo de cabeza,
paréceme que está mudada, en parte,
de sitio, aunque en aumento de belleza.
¿Qué teatro es aquél donde reparte — 265
con él cuanto contiene de hermosura
la gala, la grandeza, industria y arte?
Sin duda, el sueño en mis palpebras dura,
porque éste es edificio imaginado,
que excede a toda humana compostura. — 270
Llegóse en esto a mí disimulado
un mi amigo, llamado Promontorio,
mancebo en días, pero gran soldado.
Creció la admiración viendo notorio
y palpable que en Nápoles estaba, — 275
espanto a los pasados acesorio.
Mi amigo tiernamente me abrazaba,
y, con tenerme entre sus brazos, dijo
que del estar yo allí mucho dudaba;
llamóme padre, y yo llaméle hijo; — 280
quedó con esto la verdad en punto,
que aquí puede llamarse punto fijo.
Díjome Promontorio: —Yo barrunto,
padre, que algún gran caso a vuestras canas
las trae tan lejos, ya semidifunto. — 285
—En mis horas tan frescas y tempranas
esta tierra habité, hijo, le dije,
con fuerzas más briosas y lozanas.
Pero la Voluntad, que a todos rige,
digo el querer del cielo, me ha traído — 290
a parte que me alegra más que aflige.—
Dijera más, sino que un gran ruido

268 *palpebras* (sin acento: la ed. pr., naturalmente, no lo trae), y no *pálpebras,* que es la pronunciación usual, y etimológica, mejora el verso, que, de otro modo, sería muy duro. Pero, como Cervantes era a menudo mal versificador, no puede asegurarse la prosodia de esta palabra. Palpebras podría explicarse aún como *magnifico* y *transfuga*. Ver I, 36 y VII, 106.

280 Aunque aquí hay "un piccolo geroglifico" (B. Croce, "Due illustrazioni..."), algunos han supuesto que *Promontorio* fue un hijo real de Cervantes.

de pífaros, clarines y tambores
me azoró el alma y alegró el oído;
  volví la vista al son, vi los mayores 295
aparatos de fiesta que vio Roma
en sus felices tiempos y mejores.
  Dijo mi amigo: —Aquel que ves que asoma
por aquella montaña contrahecha,
cuyo brío al de Marte oprime y doma, 300
  es un alto sujeto, que deshecha
tiene a la Envidia en rabia, porque pisa
de la virtud la senda más derecha;
  de gravedad y condición tan lisa,
que suspende y alegra a un mesmo instante, 305
y con su aviso al mismo aviso avisa.
  Mas quiero, antes que pases adelante
en ver lo que verás, si estás atento,
darte del caso relación bastante.
  Será Don Juan de Tasis de mi cuento 310
principio, por que sea memorable,
y lleguen mis palabras a mi intento.
  Este varón, en liberal notable,
que una mediana villa le hace conde,
siendo rey en sus obras admirable; 315
  este, que sus haberes nunca esconde,
pues siempre las reparte o las derrama,
ya sepa adónde, o ya no sepa adónde;
  este, a quien tiene tan en fil la fama
puesta la alteza de su nombre claro, 320
que liberal y pródigo se llama,
  quiso, pródigo aquí, y allí no avaro,
primer mantenedor ser de un torneo

306 Comp. *Quijote,* II, 69: "el mesmo silencio guardaba silencio a sí mismo".
314 Conde de Villamediana.
317 *pues siempre las reparte o las derrama*: *pues siempre los reparte o los derrama,* enmienda R. M., para concertar con *haberes.* Pero las concordancias de Cervantes son, a veces, extrañas, y pudo escribir *las,* concertándolo, no con *haberes,* sino con *obras,* del verso anterior.
319-320 Entiéndase: Este a quien la fama tiene puesta tan en fil la alteza de su nombre... Para *en fil,* ver IV, 399.

que a fiestas sobrehumanas le comparo.
Responden sus grandezas al deseo 325
que tiene de mostrarse alegre, viendo
de España y Francia el regio himeneo.
Y este que escuchas, duro, alegre estruendo,
es señal que el torneo se comienza,
que admira por lo rico y estupendo. 330
Arquímedes el grande se averg[ü]enza
de ver que este teatro milagroso
su ingenio apoque y a sus trazas venza.
Digo, pues, que el mancebo generoso
que allí desciende de encarnado y plata, 335
sobre todo mortal curso brioso,
es el conde de Lemos, que dilata
su fama con sus obras por el mundo,
y que lleguen al cielo en tierra trata.
Y aunque sale el primero, es el segundo 340
mantenedor, y en buena cortesía
esta ventaja califico y fundo.
El duque de Nocera, luz y guía
del arte militar, es el tercero
mantenedor deste festivo día. 345
El cuarto, que pudiera ser primero,
es de Santelmo el fuerte castellano,
que al mesmo Marte en el valor prefiero.
El quinto es otro Eneas el troyano,
Arrociolo, que gana en ser valiente 350
al que fue verdadero, por la mano.—
El gran concurso y número de gente
estorbó que adelante prosiguiese
la comenzada relación prudente.
Por esto le pedí que me pusiese 355
adonde sin ningún impedimento

327 El matrimonio de Luis XIII con la infanta Ana de Austria. El texto, *Imineo*, por *himeneo*.
343 *El duque de Nocera*: En realidad, el duque de la Nocara. Ver B. Croce.
345 *tercero mantenedor*: Ver VII, 59.
347 D. Antonio de Mendoza, consejero de Estado y castellano de la fortaleza de S. Elmo. Ver B. Croce.
350 *Arrociolo*: En realidad, Troyano Caracciolo. Ver B. Croce.

el gran progreso de las fiestas viese.
 Porque luego me vino al pensamiento
de ponerlas en verso numeroso,
favorecido del febeo aliento. 360
 Hízolo así, y yo vi lo que no oso
pensar, no que decir, que aquí se acorta
la lengua y el ingenio más curioso.
 Que se pase en silencio es lo que importa,
y que la admiración supla esta falta, 365
el mesmo grandïoso caso exhorta.
 Puesto que después supe que con alta
magnífica elegancia y milagrosa,
donde ni sobra punto ni le falta,
 el curioso Don Juan de Oquina en prosa 370
la puso y dio a la estampa para gloria
de nuestra edad, por esto venturosa.
 Ni en fabulosa o verdadera historia
se halla que otras fiestas hayan sido
ni pueden ser más dignas de memoria. 375
 Desde allí, y no sé cómo, fui traído
adonde vi al gran duque de Pastrana
mil parabienes dar de bien venido;
 y que la fama, en la verdad ufana,
contaba que agradó con su presencia 380
y con su cortesía sobrehumana;
 que fue nuevo Alejandro en la excelencia
del dar, que satisfizo a todo cuanto
puede mostrar real magnificencia.
 Colmo de admiración, lleno de espanto, 385
entré en Madrid en traje de romero,

362 *no que*: no ya (italianismo: *non che*).
370 *curioso*, en la acepción de cuidadoso o diligente. Sobre la *Relación* de Oquina a que aquí se alude, ver R. M.
378 *bien venido*, que hoy diríamos "bienvenida". Se refiere Cervantes a la embajada extraordinaria realizada a Francia por el duque de Pastrana, en 1612.
382 La liberalidad de Alejandro Magno era proverbial. Cervantes aludió a ella en diversas ocasiones, y hasta forjó este curioso adjetivo: "alejandras manos" (*Baños de Argel*, Jorn. III).
385 Ver VI, 91.

que es granjería el parecer ser santo.
Y desde lejos me quitó el sombrero
el famoso Acevedo, y dijo: —*A Dio,*
voi siate il ben venuto, cavaliero. 390
So parlar zenoese, e tusco anch'io.
Y respondí: —*La vostra signoria*
sia la ben trovata, patron mio.—
Topé a Luis Vélez, lustre y alegría
y discreción del trato cortesano, 395
y abracéle en la calle a mediodía.
El pecho, el alma, el corazón, la mano
di a Pedro de Morales, y un abrazo,
y alegre recebí a Justiniano.
Al volver de una esquina sentí un brazo 400
que el cuello me ceñía, miré cúyo,
y más que gusto me causó embarazo,
por ser uno de aquellos (no rehúyo
decirlo) que al contrario se pasaron,
llevados del cobarde intento suyo. 405
Otros dos al del Layo se llegaron,
y con la risa falsa del conejo
y con muchas zalemas me hablaron.
Yo, socarrón; yo, poetón ya viejo,
volvíles a lo tierno las saludes, 410
sin mostrar mal talante o sobrecejo.
No dudes, ¡oh lector caro!, no dudes,
sino que suele el disimul(ad)o a veces

387 Posible alusión a Lope de Vega. Ver. R. M.
388 *me quitó el sombrero*: se lo quitó ante mí.
391 *zenoese*: genovés (de *Zenoa*: Génova); *tusco*: toscano. El texto, *anchio,* por *anch'io.*
401 *cúyo*: cúyo (de quién) era.
406 *al del Layo*: Como este *Layo* no puede ser el padre de Edipo, Bonilla, aunque respetando el texto, supuso que había errata por *al soslayo,* enmienda introducida por Medina. R. M. recuerda que *del ayo, de layo* o *del Layo* se dijo en Andalucía de ciertas granadas y manzanas agriculces, y figuradamente de las personas de carácter más bien agrio. A pesar de ello, el sentido del verso sigue estando oscuro.
409 *poetón*: Ver I, 19.
410 *volver las saludes*: devolver el saludo.

servir de aumento a las demás virtudes.
  Dínoslo tú, David, que, aunque pareces 415
loco en poder de Aquís, de tu cordura,
fing(u)iendo el loco, la grandeza ofreces.
  Dejélos, esperando coyuntura
y ocasión más secreta para dalles
vejamen de su miedo, o su locura. 420
  Si encontraba poetas por las calles,
me ponía a pensar si eran de aquellos
huídos, y pasaba sin hablalles.
  Poníanseme yertos los cabellos
de temor no encontrase algún poeta, 425
de tantos que no pude conocellos,
  que, con puñal buido, o con secreta
almarada me hiciese un abujero
que fuese al corazón por vía recta;
  aunque no es este el premio que yo espero 430
de la fama que a tantos he adquerido
con alma grata y corazón sincero.
  Un cierto mancebito cuellierg[u]ido,
en profesión poeta, y en el traje
a mil leguas por godo conocido, 435
  lleno de presunción y de coraje
me dijo: —Bien sé yo, señor Cervantes,
que puedo ser poeta, aunque soy paje.
  Cargastes de poetas ignorantes,
y dejástesme a mí, que ver deseo 440
del Parnaso las fuentes elegantes.
  Que caducáis sin duda alguna creo;
creo, no digo bien; mejor diría
que toco esta verdad y que la veo.—
  Otro, que, al parecer, de argentería, 445
de nácar, de cristal, de perlas y oro

416 *...loco en poder de Aquís*: Ver *I Samuel,* XXI, 12-13.
425 *no* redundante.
428 *secreta almarada*: *Almarada* es el puñal agudo de tres aristas y sin corte. Solía llevarse oculta bajo la ropa (*secreta*); *abujero,* en tiempo de Cervantes no era voz vulgar.
431 *adquerido*: R. M. enmienda *adquirido.*
435 *godo*: Ver II, 104.

sus infinitos versos componía,
  me dijo bravo, cual corrido toro:
—No sé yo para qué nadie me puso
en lista con tan bárbaro decoro. 450
  —Así el discreto Apolo lo dispuso,
a los dos respondí, y en este hecho
de ignorancia o malicia no me acuso.—
  Fuíme con esto, y, lleno de despecho,
busqué mi antigua y lóbrega posada, 455
y arrojéme molido sobre el lecho;
que cansa, cuando es larga, una jornada.

455 Cervantes vivía entonces, según sus propias palabras en la *Adjunta al Parnaso,* "en la calle de las Huertas, frontero de las casas donde solía vivir el Príncipe de Marruecos, en Madrid". Muley Xeque, "el Príncipe Negro", vivía en la calle del Príncipe, esquina a la de las Huertas.

ADJUNTA AL PARNASO

ALGUNOS días estuve reparándome de tan largo viaje, al cabo de los cuales salí a ver y a ser visto, y a recebir parabienes de mis amigos y malas vistas de mis enemigos; que puesto que pienso que no tengo ninguno, todavía no me aseguro de la común suerte. Sucedió, pues, que saliendo una mañana del monesterio de Atocha, se llegó a mí un mancebo, al parecer de veinte y cuatro años, poco más o menos, todo limpio, todo aseado y todo crujiendo gorgaranes; pero con un cuello tan grande y tan almidonado, que creí que para llevarle fueran menester los hombros de otro Adlante.[1] Hijos deste cuello eran dos puños chatos que, comenzando de las muñecas, subían y trepaban por las canillas del brazo arriba, que parecía que iban a dar asalto a las barbas. No he visto yo yedra tan codiciosa de subir desde el pie de la muralla donde se arrima hasta las almenas, como el ahínco que llevaban estos puños a ir a darse de puñadas con los codos. Finalmente, la exorbitancia del cuello y puños era tal, que en el cuello se escondía y sepultaba el rostro y en los puños los brazos. Digo, pues, que tal mancebo se llegó a mí, y con voz grave y reposada me dijo:

1 R. M. corrige, innecesariamente, *Atlante*.

—¿Es, por ventura, vuesa merced[2] el señor Miguel de Cervantes Saavedra, el que ha pocos días que vino del Parnaso?

A esta pregunta creo, sin duda, que perdí la color del rostro, porque en un instante imaginé y dije entre mí: "¿Si es este alguno de los poetas que puse o dejé de poner en mi *Viaje*, y viene ahora a darme el pago que él se imagina se me debe?" Pero, sacando fuerzas de flaqueza, le respondí:

—Yo, señor, soy el mesmo que vuesa merced dice; ¿qué es lo que se me manda?

Él, luego en oyendo esto, abrió los brazos y me los echó al cuello, y sin duda me besara en la frente si la grandeza del cuello no lo impidiera, y díjome:

—Vuesa merced, señor Cervantes, me tenga por su servidor y por su amigo, porque ha muchos días que le soy muy aficionado, así por sus obras como por la fama de su apacible condición.

Oyendo lo cual, respiré, y los espíritus,[3] que andaban alborotados, se sosegaron; y abrazándole yo también, con recato de no ajarle el cuello, le dije:

—Yo no conozco a vuesa merced si no es para servirle; pero por las muestras bien se me trasluce que vuesa merced es muy discreto y muy principal; calidades que obligan a tener en veneración a la persona que las tiene.

Con estas pasamos otras corteses razones, y anduvieron por alto los ofrecimientos, y de lance en lance, me dijo:

—Vuesa merced sabrá, señor Cervantes, que yo, por la gracia de Apolo, soy poeta, o [a] lo menos deseo serlo, y mi nombre es Pancracio de Roncesvalles.

Miguel.—Nunca tal creyera, si vuesa merced no me lo hubiera dicho por su mesma boca.

Pancracio.—¿Pues por qué no lo creyera vuesa merced?

2 El texto, generalmente, abrevia V.m., pero en alguna ocasión trae *vuessa merced,* y así lo reproducimos siempre.

3 El texto, *espritus.*

Miguel.—Porque los poetas, por maravilla andan tan atildados como vuesa merced, y es la causa que, como son de ingenio tan altaneros y remontados, antes atienden a las cosas del espíritu que a las del cuerpo.

—Yo, señor —dijo él—, soy mozo, soy rico y soy enamorado; partes que deshacen en mí la flojedad que infunde la poesía. Por la mocedad, tengo brío; con la riqueza, con qué mostrarle; y con el amor, con qué no parecer descuidado.

—Las tres partes del camino —le dije yo— se tiene vuesa merced andadas para llegar a ser buen poeta.

Pancracio.—¿Cuáles son?

Miguel.—La de la riqueza y la del amor. Porque los partos [4] de los ingenios de la persona rica y enamorada son asombros de la avaricia y estímulos de la liberalidad, y en el poeta pobre la mitad de sus divinos partos y pensamientos se los llevan los cuidados de buscar el ordinario sustento. Pero dígame [5] vuesa merced, por su vida: ¿de qué suerte de menestra poética gasta o gusta más?

A lo que respondió:

—No entiendo eso de menestra poética.

Miguel.—Quiero decir que a qué género de poesía es vuesa merced más inclinado, al lírico, al heroico o al cómico.

—A todos estilos me amaño —respondió él—; pero en el que más me ocupo es en el cómico.

Miguel.—Desa manera, habrá vuestra merced compuesto algunas comedias.

Pancracio.—Muchas; pero sólo una se ha representado.

Miguel.—¿Pareció bien?

Pancracio.—Al vulgo, no.

Miguel.—¿Y a los discretos?

Pancracio.—Tampoco. [6]

4 El texto: *los partos de los partos de...* R. M. lee: *los fructos de los partos de...*
5 El texto, *dexeme.*
6 El texto, *tan poco.*

Miguel.—¿La causa?

Pancracio.—La causa fue que la achacaron que era larga en los razonamientos, no muy pura en los versos y desmayada en la invención.

—Tachas son estas —respondí yo— que pudieran hacer parecer mal a [7] las del mesmo Plauto.

—Y más —dijo él—, que no pudieron juzgalla, porque no la dejaron acabar, según la gritaron. Con todo esto, la echó el autor para otro día; pero, porfiar que porfiar, cinco personas vinieron apenas.

—Créame vuesa merced —dije yo— que las comedias tienen días, como algunas mujeres hermosas; y que esto de acertarlas bien va tanto en la ventura como en el ingenio; comedia he visto yo apedreada en Madrid que la han laureado en Toledo, y no por esta primer desgracia deje vuesa merced de proseguir en componerlas, que podrá ser que, cuando menos lo piense, acierte con alguna que le dé crédito y dineros.

—De los dineros no hago caso —respondió él—; más preciaría la fama que cuanto hay. Porque es cosa de grandísimo gusto y de no menos importancia ver salir mucha gente de la comedia, todos contentos, y estar el poeta que la compuso a la puerta del teatro recibiendo parabienes de todos.

—Sus descuentos tienen esas alegrías —le dije yo—; que tal vez suele ser la comedia tan pésima, que no hay quien alce los ojos a mirar al poeta, ni aun él para cuatro calles del coliseo, ni aun los alzan los que la recitaron, avergonzados y corridos de haberse engañado y escogídola por buena.

—¿Y vuesa merced, señor Cervantes —dijo él—, ha sido aficionado a la carátula? ¿Ha compuesto alguna comedia?

—Sí —dije yo—, muchas; y a no ser mías, me parecieran dignas de alabanza, como lo fueron *Los Tratos de Argel, La Numancia, La gran Turquesca, La Batalla Naval, La Jerusalén, La Amaranta o la del Mayo, El*

[7] R. M. suprime esta *a*.

Bosque Amoroso, La Unica y *La Bizarra Arsinda,* y otras muchas de que no me acuerdo. Mas la que yo más estimo y de la que más me precio fue y es de una llamada *La Confusa,* la cual, con paz sea dicho de cuantas comedias de capa y espada hasta hoy se han representado, bien puede tener lugar señalado por buena entre las mejores.

Pancracio.—¿Y agora tiene vuesa merced algunas?

Miguel.—Seis tengo, con otros seis entremeses.

Pancracio.—Pues ¿por qué no se representan?

Miguel.—Porque ni los autores me buscan ni yo les voy a buscar a ellos.

Pancracio.—No deben de saber que vuesa merced las tiene.

Miguel.—Sí saben; pero como tienen sus poetas paniaguados y les va bien con ellos, no buscan pan de trastrigo. Pero yo pienso darlas a la estampa, para que se vea de espacio lo que pasa apriesa, y se disimula, o no se entiende, cuando las representan. Y las comedias tienen sus sazones y tiempos, como los cantares.

Aquí llegábamos con nuestra plática, cuando Pancracio puso la mano en el seno, y sacó dél una carta con su cubierta y, besándola, me la puso en la mano. Leí el sobrescrito y vi que decía desta manera:

"A Miguel de Cervantes Saavedra, en la calle de las Huertas, frontero de las casas donde solía vivir el príncipe de Marruecos, en Madrid." A porte, medio real, digo, diecisiete maravedís.

Escandalizóme el porte, y de la declaración [8] del medio real, digo diecisiete. Y volviéndosela, le dije:

—Estando yo en Valladolid llevaron una carta a mi casa para mí, con un real de porte; recibióla y pagó el porte una sobrina mía, que nunca ella le pagara; pero diome por disculpa que muchas veces me había oído decir que en tres cosas era bien gastado el dinero: en dar limosna, en pagar al buen médico y en el porte

[8] R. M. lee: *y la declaración.* Pero, teniendo en cuenta la irregular sintaxis de Cervantes, puede entenderse: *Escandalizóme el porte, y* me escandalicé *de la declaración...*

de las cartas, ora sean de amigos o de enemigos; que las de los amigos avisan; y de las de los enemigos se puede tomar algún indicio de sus pensamientos. Diéronmela; y venía en ella un soneto malo, desmayado, sin garbo ni agudeza alguna, diciendo mal de *Don Quijote*; y de lo que me pesó fue del real, y propuse desde entonces de no tomar carta con porte. Así que si vuesa merced le quiere llevar desta, bien se la puede volver; que yo sé que no me puede importar tanto como el medio real que se me pide.

Riose muy de gana el señor Roncesvalles, y díjome:

—Aunque soy poeta, no soy tan mísero que me aficionen diez y siete maravedís. Advierta vuesa merced, señor Cervantes, que esta carta por lo menos es del mesmo Apolo: él la escribió no ha veinte días en el Parnaso, y me la dio para que a vuesa merced la diese. Vuesa merced la lea, que yo sé que le ha de dar gusto.

—Haré lo que vuesa merced me manda —respondí yo—; pero quiero que, antes de leerla, vuesa merced me la haga de decirme cómo, cuándo y a qué fue al Parnaso.

Y él respondió:

—Cómo fui, fue por mar, y en una fragata que yo y otros diez poetas fletamos en Barcelona; cuándo fui, fue seis días después de la batalla que se dio entre los buenos y los malos poetas; a qué fui, fue a hallarme en ella, por obligarme a ello la profesión mía.

—A buen seguro —dije yo— que fueron vuesas mercedes bien recebidos del señor Apolo.

Pancracio.—Sí fuimos, aunque le hallamos muy ocupado a él y a las señoras Piérides, arando y sembrando de sal todo aquel término del campo donde se dio la batalla. Preguntéle para qué se hacía aquello, y respondióme que así como de los dientes de la serpiente de Cadmo habían nacido hombres armados, y de cada cabeza cortada de la hidra que mató Hércules habían renacido otras siete, y de las gotas de la sangre de la cabeza de Medusa se había llenado de serpientes toda la Libia, de la mesma manera, de la sangre podrida de los malos poetas que en aquel sitio habían sido muertos comenzaban a nacer del tamaño de ratones otros poetillas rateros, que llevaban camino de henchir toda la tierra de aquella mala simiente; y que por esto se araba aquel lugar y se sembraba de sal, como si fuera casa de traidores.

En oyendo esto, abrí luego la carta y vi que decía

APOLO DÉLFICO

A MIGUEL DE CERVANTES SAAVEDRA

SALUD

EL señor Pancracio de Roncesvalles, llevador desta, dirá a vuesa merced, señor Miguel de Cervantes, en qué me halló ocupado el día que llegó a verme con sus amigos. Y yo digo que estoy muy quejoso de la descortesía que conmigo se usó en partirse vuesa merced deste monte sin despedirse de mí ni de mis hijas, sabiendo cuánto le soy aficionado, y las Musas por el consiguiente; pero si se me da por disculpa que le llevó el deseo de ver a su mecenas el gran conde de Lemos en las fiestas famosas de Nápoles, yo la acepto, y le perdono.

Después que vuesa merced partió deste lugar, me han sucedido muchas desgracias y me he visto en grandes aprietos, especialmente por consumir y acabar los poetas que iban naciendo de la sangre de los malos que aquí murieron; aunque ya, gracias al cielo y a mi industria, este daño está remediado.

No sé si del ruido de la batalla o del vapor que arrojó de sí la tierra empapada en la sangre de los contrarios, me han dado unos váguidos de cabeza que verdaderamente me tienen como tonto, y no acierto a escribir cosa que sea de gusto ni de provecho; así, si vuesa merced viere por allá que algunos poetas, aunque sean de los más famosos, escriben y componen impertinencias y cosas de poco fruto, no los culpe ni los tenga en menos, sino que disimule con ellos; que pues yo, que soy el padre y el inventor de la poesía, deliro y parezco mentecato, no es mucho que lo parezcan ellos.

Envío a vuestra merced unos privilegios, ordenanzas y advertimientos tocantes a los poetas; vuesa merced los haga guardar y cumplir al pie de la letra, que para todo ello doy a vuesa merced mi poder cumplido, cuanto de derecho se requiere.

Entre los poetas que aquí vinieron con el señor Pancracio [9] Roncesvalles, se quejaron algunos de que no iban en la lista de los que Mercurio llevó a España, y que así vuesa merced no los había puesto en su *Viaje*. Yo les dije que la culpa era mía y no de vuesa merced; pero que el remedio deste daño estaba en que procurasen ellos ser famosos por sus obras, que ellas por sí mismas les darían fama y claro renombre, sin andar mendigando ajenas alabanzas.

De mano en mano, si se ofreciere ocasión de mensajero, iré enviando[10] más privilegios y avisando de lo que en este monte pasare. Vuesa merced haga lo mesmo, avisándome de su salud y de la de todos los amigos.

Al famoso Vincente Espinel dará vuesa merced mis encomiendas, como a uno de los más antiguos y verdaderos amigos que yo tengo.

Si D. Francisco de Quevedo no hubiere partido para venir a Sicilia, donde le esperan, tóquele vuesa merced la mano, y dígale que no deje de llegar a verme, pues estaremos tan cerca; que cuando aquí vino, por la súbita partida no tuve lugar de hablarle.

Si vuesa merced encontrare por allá algún tránsfuga de los veinte que se pasaron al bando contrario, no les diga nada, ni los aflija, que harta mala ventura tienen, pues son como demonios, que se llevan la pena y la confusión con ellos mesmos do quiera que vayan.

Vuesa merced tenga cuenta con su salud, y mire por sí, y guárdese de mí, especialmente en los caniculares; que, aunque le soy amigo, en tales días no va en mi mano, ni miro en obligaciones ni en amistades.

9 El texto, *Pancratio*.
10 Algunos ejemplares del texto, *emblando*.

Al señor Pancracio Roncesvalles téngale vuesa merced por amigo, y comuníquelo; y pues es rico, no se le dé nada que sea mal poeta. Y con esto, nuestro Señor guarde a vuesa merced como puede y yo deseo.

Del Parnaso a 22 de julio, el día que me calzo las espuelas para subirme sobre la Canícula, 1614.

Servidor de vuesa merced,

APOLO LÚCIDO.

En acabando la carta, vi que en un papel aparte venía escrito:

PRIVILEGIOS, ORDENANZAS Y ADVERTENCIAS QUE APOLO ENVÍA A LOS POETAS ESPAÑOLES

Es el primero, que algunos poetas sean conocidos tanto por el desaliño de sus personas como por la fama de sus versos.

Item, [11] que si algún poeta dijere que es pobre, sea luego creído por su simple palabra, sin otro juramento o averiguación alguna.

Ordénase que todo poeta sea de blanda y de suave condición, y que no mire en puntos, aunque los traiga sueltos en sus medias.

Item, que si algún poeta llegare a casa de algún su amigo o conocido, y estuvieren comiendo, y le convidare, que aunque él jure que ya ha comido, no se le crea en ninguna manera, sino que le hagan comer por fuerza, que en tal caso no se le hará muy grande.

Item, que el más pobre poeta del mundo, como no sea de los Adanes y Matusalenes, pueda decir que es enamorado, aunque no lo esté, y poner el nombre a su dama como más le viniere a cuento, ora llamándola Amarili, ora Anarda, ora Clori, ora Filis, ora Fílida, o

11 El texto, aquí y en otros trece lugares, *Yten,* pero en tres ocasiones *Item*. Uniformo el texto, poniendo siempre *Item*.

ya Juana Téllez, o como más gustare, sin que desto se le pueda pedir ni pida razón alguna.

Item se ordena que todo poeta, de cualquier calidad y condición que sea, sea tenido y le tengan por hijodalgo, en razón del generoso ejercicio en que se ocupa, como son tenidos por cristianos viejos los niños que llaman de la piedra.

Item se advierte que ningún poeta sea osado de escribir versos en alabanzas de príncipes y señores, por ser mi intención y advertida voluntad que la lisonja ni la adulación no atraviesen los umbrales de mi casa.

Item, que todo poeta cómico que felizmente hubiere sacado a luz tres comedias, pueda entrar sin pagar en los teatros, si ya no fuere la limosna de la segunda puerta, y aun esta, si pudiere ser, la excuse.

Item se advierte que si algún poeta quisiere dar a la estampa algún libro que él hubiere compuesto, no se dé a entender que por dirigirle a algún monarca el tal libro ha de ser estimado, porque si él no es bueno, no le adobará la dirección, aunque sea hecha al prior de Guadalupe.

Item se advierte que todo poeta no se desprecie de decir que lo es; que si fuere bueno, será digno de alabanza; y si malo, no faltará quien lo alabe; que cuando nace la escoba, etc.

Item, que todo buen poeta pueda disponer de mí y de lo que hay en el cielo a su beneplácito; conviene a saber, que los rayos de mi cabellera los pueda trasladar y aplicar a los cabellos de su dama, y hacer dos soles sus ojos, que conmigo serán tres, y así andará el mundo más alumbrado; y de las estrellas, signos y planetas puede servirse de modo que cuando menos lo piense la tenga hecha una esfera celeste.

Item, que todo poeta a quien sus versos le hubieren dado a entender que lo es, se estime y tenga en mucho, ateniéndose a aquel refrán: Ruin sea el que por ruin se tiene.

Item se ordena que ningún poeta grave haga corrillo en lugares públicos recitando sus versos; que los que son buenos, en las aulas de Atenas se habían de recitar, que no en las plazas.

Item se da por aviso particular que si alguna madre tuviere hijos pequeñuelos traviesos y llorones, los pueda amenazar y espantar con el coco, diciéndoles: Guardaos, niños, que viene el poeta fulano, que os echará con sus malos versos en la sima de Cabra o en el pozo Airón.

Item, que los días de ayuno no se entienda que los ha quebrantado el poeta que aquella mañana se ha comido las uñas al hacer de sus versos.

Item se ordena que todo poeta que diere en ser espadachín, valentón[12] y arrojado, por aquella parte de la valentía se desagüe y vaya la fama que podía alcanzar por sus buenos versos.

Item se advierte que no ha de ser tenido por ladrón el poeta que hurtare algún verso ajeno y le encajare entre los suyos, como no sea todo el concepto y toda la copla entera, que en tal caso tan ladrón es como Caco.

Item, que todo buen poeta, aunque no haya compuesto poema heroico, ni sacado al teatro del mundo obras grandes, con cualesquiera, aunque sean pocas, pueda alcanzar renombre de divino, como le alcanzaron Garcilaso de la Vega, Francisco de Figueroa, el capitán Francisco de Aldana y Hernando de Herrera.

Item se da aviso que si algún poeta fuere favorecido de algún príncipe, ni le visite a menudo, ni le pida nada, sino déjese llevar de la corriente de su ventura; que el que tiene providencia de sustentar las sabandijas de la tierra y los gusarapos del agua, la tendrá de alimentar a un poeta, por sabandija que sea.

En suma, estos fueron los privilegios, advertencias y ordenanzas que Apolo me envió y el señor Pancracio de Roncesvalles me trujo, con quien quedé en mucha

[12] El texto, *valenten*. Pero *valenton* en algunos ejemplares corregidos.

amistad, y los dos quedamos de concierto de despachar un propio con la respuesta al señor Apolo, con las nuevas desta corte. Daráse noticia del día, para que todos sus aficionados le escriban.

APÉNDICE:

POÉTICA DE CERVANTES *

que no está en la elegancia
y modo de decir el fundamento
y principal sustancia
del verdadero cuento,
que en la pura verdad tiene su asiento.

(*Galatea,* III)

El sosiego, el lugar apacible, la amenidad de los campos, la serenidad de los cielos, el murmurar de las fuentes, la quietud del espíritu son grande parte para que las musas más estériles se muestren fecundas y ofrezcan partos al mundo que le colmen de maravilla y de contento.

También ha de carecer mi libro de sonetos al principio, a lo menos de sonetos cuyos autores sean duques, marqueses, condes, obispos, damas o poetas celebérrimos; aunque si yo los pidiese a dos o tres oficiales amigos, yo sé que me los darían, y tales que no les igualasen los de aquellos que tienen más nombre en nuestra España.

(*Quijote,* I, Prólogo)

Bien los puede vuestra merced mandar quemar, como a los demás· porque no sería mucho que, habiendo sanado mi señor tío de la enfermedad caballeresca, leyendo éstos

* A estos textos hay que sumar los pasajes pertinentes del *Viaje del Parnaso* (sobre todo en el cap. IV) y de la *Adjunta,* que hemos creido innecesario duplicar aquí.

se le antojase de hacerse pastor y andarse por los bosques y prados cantando y tañendo, y, lo que sería peor, hacerse poeta, que, según dicen, es enfermedad incurable y pegadiza.

(*Quijote,* I, VI)

... su hermosura [la de Dulcinea], sobrehumana, pues en ella se vienen a hacer verdaderos todos los imposibles y quiméricos atributos de belleza que los poetas dan a sus damas: que sus cabellos son oro, su frente campos elíseos, sus cejas arcos del cielo, sus ojos soles, sus mejillas rosas, sus labios corales, perlas sus dientes, albastro su cuello, mármol su pecho, marfil sus manos, su blancura nieve, y las partes que a la vista humana encubrió la honestidad son tales, según yo pienso y entiendo, que sólo la discreta consideración puede encarecerlas, y no compararlas.

(*Quijote,* I, XIII)

Sí, que no todos los poetas que alaban damas, debajo de un nombre que ellos a su albedrío les ponen, es verdad que las tienen. ¿Piensas tú que las Amariles, las Filis, las Silvias, las Dianas, las Galateas, las Alidas y otras tales de que los libros, los romances, las tiendas de los barberos, los teatros de las comedias, están llenos, fueron verdaderamente damas de carne y hueso, y de aquellos que las celebran y celebraron? No, por cierto, sino que las más se las fingen, por dar subjeto a sus versos, y porque los tengan por enamorados y por hombres que tienen valor para serlo.

(*Quijote,* I, XXV)

—Luego ¿todo aquello que los poetas enamorados dicen es verdad?

—En cuanto poetas, no la dicen..., mas en cuanto enamorados, siempre quedan tan cortos como verdaderos.

(*Quijote,* I, XXXIV)

...que la épica también puede escrebirse en prosa como en verso.

(*Quijote,* I, XLVII)

La poesía, señor hidalgo, a mi parecer, es como una doncella tierna y de poca edad, y en todo estremo hermosa, a quien tienen cuidado de enriquecer, pulir y adornar otras muchas doncellas, que son todas las otras ciencias, y ella se ha de servir de todas, y todas se han de autorizar con ella; pero esta tal doncella no quiere ser manoseada, ni traída por las calles, ni publicada por las esquinas de las plazas ni por los rincones de los palacios. Ella es hecha de una alquimia de tal virtud, que quien la sabe tratar la volverá en oro purísimo de inestimable precio; hala de tener, el que la tuviere, a raya, no dejándola correr en torpes sátiras ni en desalmados sonetos; no ha de ser vendible en ninguna manera, si ya no fuere en poemas heroicos, en lamentables tragedias, o en comedias alegres y artificiosas; no se ha de dejar tratar de los truhanes, ni del ignorante vulgo, incapaz de conocer ni estimar los tesoros que en ella se encierran. Y no penséis, señor, que yo llamo aquí vulgo solamente a la gente plebeya y humilde; que todo aquel que no sabe, aunque sea señor y príncipe, puede y debe entrar en número de vulgo. Y así, el que con los requisitos que he dicho tratare y tuviere a la poesía, será famoso y estimado su nombre en todas las naciones políticas del mundo. Y a lo que decís, señor, que vuestro hijo no estima mucho la poesía de romance, doime a entender que no anda muy acertado en ello, y la razón es ésta: el grande Homero no escribió en latín, porque era griego, ni Virgilio no escribió en griego, porque era latino. En resolución, todos los poetas antiguos escribieron en la lengua que mamaron en la leche, y no fueron a buscar las estranjeras para declarar la alteza de sus conceptos. Y siendo esto así, razón sería se estendiese esta costumbre por todas las naciones, y que no se desestimase el poeta alemán porque escribe en su lengua, ni el castellano, ni aun el vizcaíno, que escribe en la suya. Pero vuestro hijo, a lo que yo, señor, imagino, no debe de estar mal con la poesía de romance, sino con los poetas que son meros romancistas, sin saber otras lenguas ni otras ciencias que adornen y despierten y ayuden a su natural impulso, y aun en esto puede haber yerro; porque, según es opinión verdadera, el poeta nace: quieren decir que del vientre de su madre el poeta natural sale poeta; y con aquella inclinación que le dio el cielo, sin más estudio ni artificio, compone cosas, que hace verdadero al que dijo: *est Deus in nobis...*, etcétera. También digo que el natural poeta que se ayudare del arte será mucho mejor y se aventajará al poeta que sólo por saber el arte quisiere serlo; la razón es porque el arte no se aventaja a la naturaleza, sino perficiónala; así que, mezcladas la naturaleza y el arte, y el arte con la naturaleza, sacarán un perfetísimo poeta. Sea, pues, la conclusión de mi plática, señor hidalgo, que vuesa merced deje caminar a su hijo por donde su estrella le llama; que, siendo él tan buen estudiante como debe de ser, y habiendo ya subido felicemente el primer escalón de las esencias, que es el de las lenguas, con ellas por sí mesmo subirá a la cumbre de las letras humanas, las cuales tan bien parecen en un caballero de capa y espada, y así le adornan, honran y engrandecen como las mitras a los obispos, o como las garnachas a los peritos jurisconsultos. Riña vuesa merced a su hijo si hiciere sátiras que perjudiquen las honras ajenas, y castíguele, y rómpaselas; pero si hiciere sermones al modo de Horacio, donde reprehenda los vicios en general, como tan elegantemente él lo hizo, alábele; porque lícito es al poeta escribir contra la invidia y decir en sus versos mal de los invidiosos, y así de los otros vicios, con que no señale persona alguna; pero hay poetas que a trueco de decir una malicia, se pondrán a peligro que los destierren a las islas de Ponto. Si el poeta fuere casto en sus costumbres, lo será también en sus versos; la pluma es lengua del alma: cuales fueren los conceptos que en ella se engendraren, tales serán sus escritos; y cuando los reyes y príncipes veen la milagrosa ciencia de la poesía en sujetos prudentes, virtuosos y graves, los honran, los estiman y los enriquecen, y aun los coronan con las hojas del árbol a quien no ofende el rayo, como en señal que no han de ser ofendidos de nadie los que con tales coronas se veen honrados y adornadas sus sienes.

(*Quijote,* II, XVI)

—El señor don Diego de Miranda, padre de vuesa merced, me ha dado noticia de la rara habilidad y sutil ingenio que vuestra merced tiene, y, sobre todo, que es vuesa merced un gran poeta.

—Poeta, bien podrá ser —respondió don Lorenzo—; pero grande, ni por pensamiento. Verdad es que yo soy algún tanto aficionado a la poesía y a leer los buenos poetas; pero no de manera que se me pueda dar el nombre de grande que mi padre dice.

—No me parece mal esa humildad —respondió don Quijote—; porque no hay poeta que no sea arrogante y piense de sí que es el mayor poeta del mundo.

—No hay regla sin excepción —respondió don Lorenzo—, y alguno habrá que lo sea y no lo piense.

—Pocas —respondió don Quijote.

...y si es que son de justa literaria, procure vuesa merced llevar el segundo premio; que el primero siempre se lleva el favor o la gran calidad de la persona, el segundo se le lleva la mera justicia, y el tercero viene a ser el segundo, y el primero, a esta cuenta, será el tercero, al modo de las licencias que se dan en las universidades; pero, con todo esto, gran personaje es el nombre de *primero.*

¿No es bueno que dicen que se holgó don Lorenzo de verse alabar de don Quijote, aunque le tenía por loco? ¡Oh fuerza de la adulación, a cuánto te estiendes, y cuán dilatados límites son los de tu jurisdicción agradable!

(*Quijote,* II, XVIII)

Parecióme la trova de perlas, y su voz, de almíbar, y después acá, digo, desde entonces, viendo el mal en que caí por estos y otros semejantes versos, he considerado que de las buenas y concertadas repúblicas se habían de desterrar los poetas, como aconsejaba Platón, a lo menos, los lascivos, porque escriben unas coplas, no como las del marqués de Mantua, que entretienen y hacen llorar los niños y las mujeres, sino unas agudezas, que a modo de blandas espinas os atraviesan el alma, y como rayos os hieren en ella, dejando sano el vestido. Y otra vez cantó:

Ven, muerte tan escondida,
que no te sienta venir,
porque el placer de morir
no me torne a dar la vida.

Y deste jaez otras coplitas y estrambotes, que cantados encantan y escritos suspenden. Pues ¿qué cuando se humillan a componer un género de verso que en Candaya se usaba entonces, a quien ellos llamaban seguidillas? Allí era el brincar de las almas, el retozar de la risa, el desasosiego de los cuerpos y, finalmente, el azogue de todos los sentidos. Y así, digo, señores míos, que los tales trovadores con justo título los debían desterrar a las islas de los Lagartos. Pero no tienen ellos la culpa, sino los simples que los alaban y las bobas que los creen; y si yo fuera la buena dueña que debía, no me habían de mover sus trasnochados conceptos, ni había de creer ser verdad aquel decir: "Vivo muriendo, ardo en el yelo, tiemblo en el fuego, espero sin esperanza, pártome y quédome", con otros imposibles desta ralea, de que están sus escritos llenos. Pues ¿qué cuando prometen el fénix de Arabia, la corona de Aridiana, los caballos del Sol, del Sur las perlas, de Tíbar el oro y de Pancaya el bálsamo? Aquí es donde ellos alargan más la pluma, como les cuesta poco prometer lo que jamás piensan ni pueden cumplir.

(*Quijote,* II, XXXVIII)

—Pues la verdad que quiero que me diga —dijo Preciosa— es si por ventura es poeta.

—A serlo —replicó el paje—, forzosamente había de ser por ventura. Pero has de saber, Preciosa, que ese nombre de poeta muy pocos le merecen, y así, yo no lo soy, sino un aficionado a la poesía; y para lo que he menester, no voy a pedir ni a buscar versos ajenos: los que te di son míos, y estos que te doy agora también; mas no por esto soy poeta, ni Dios lo quiera.

—¿Tan malo es ser poeta? —replicó Preciosa.

—No es malo —dijo el paje—; pero el ser poeta a solas no lo tengo por muy bueno. Hase de usar de la poesía como de una joya preciosísima, cuyo dueño no la trae cada día, ni la muestra a todas gentes, ni a cada paso, sino cuando convenga y sea razón que la muestre. La poesía es una bellísima doncella, casta, honesta, discreta, aguda, retirada, y que se contiene en los límites de la discreción más alta. Es amiga de la soledad; las fuentes la entretienen; los prados la consuelan; los árboles la desenojan; las flores la alegran; y, finalmente, deleita y enseña a cuantos con ella comunican.

—Con todo eso —respondió Preciosa—, he oído decir que es pobrísima, y que tiene algo de mendiga.

—Antes es al revés —dijo el paje—, porque no hay poeta que no sea rico, pues todos viven contentos con su estado, filosofía que la alcanzan pocos.

(*La Gitanilla*)

...le preguntó un estudiante si era poeta, porque le parecía que tenía ingenio para todo. A lo cual respondió:

—Hasta ahora no he sido tan necio, ni tan venturoso.

—No entiendo eso de necio y venturoso —dijo el estudiante.

Y respondió Vidriera:

—No he sido tan necio, que diese en poeta malo, ni tan venturoso, que haya merecido serlo bueno.

Preguntóle otro estudiante que en qué estimación tenía a los poetas. Respondió que a la ciencia, en mucha; pero que a los poetas, en ninguna. Replicáronle que por qué decía aquéllo. Respondió que del infinito número de poetas que había, eran tan pocos los buenos, que casi no hacían número; y así, como si no hubiese poetas, no los estimaba; pero que admiraba y reverenciaba la ciencia de la poesía, porque encerraba en sí todas las demás ciencias: porque de todas se sirve, de todas se adorna, y pule y saca a luz sus maravillosas obras, con que llena el mundo de provecho, de deleite y de maravilla. Añadió más:

—Yo bien sé en lo que se debe estimar un buen poeta, porque se me acuerda de aquellos versos de Ovidio que dicen:

Cura ducum fuerunt olim regumque poetae:
Praemiaque antiqui magna tulere chori.
Sanctaque majestas, et erat venerabile nomen
Vatibus, et largae saepe dabantur opes.

Y menos se me olvida la alta calidad de los poetas, pues los llama Platón intérpretes de los dioses, y dellos dice Ovidio:

Est Deus in nobis, agitante calescimus illo.

Y también dice:

At sacri vates, et Divum cura vocamur.

Esto se dice de los buenos poetas; que de los malos, de los churrulleros, ¿qué se ha de decir sino que son la idiotez y la arrogancia del mundo?

Y añadió más:

¡Qué es ver a un poeta destos de la primera impresión, cuando quiere decir un soneto a otros que le rodean, las salvas que les hace, diciendo: "Vuesas mercedes escuchen un sonetillo que anoche a cierta ocasión hice, que, a mi parecer, aunque no vale nada, tiene un no sé qué de bonito!". Y en esto, tuerce los labios, pone en arco las cejas, y se rasca la faltriquera, y de entre otros mil papeles mugrientos y medio rotos, donde queda otro millar de sonetos, saca el que quiere relatar, y al fin le dice, con tono melifluo y alfeñicado. Y si acaso los que le escuchan, de socarrones o de ignorantes, no se le alaban, dice: "O vuesas mercedes no han entendido el soneto, o yo no le he sabido decir; y así, será bien recitarle otra vez, y que vuesas mercedes le presten más atención, porque en verdad en verdad que el soneto lo merece". Y vuelve como primero a recitarle, con nuevos ademanes y nuevas pausas. Pues, ¿qué es verlos censurar los unos a los otros? ¿Qué diré del ladrar que hacen los cachorros y modernos a los mastinazos antiguos y graves? Y ¿qué de los que murmuran de algunos ilustres y excelentes sujetos, donde resplandece la verdadera luz de la poesía, que, tomándola por alivio y entretenimiento de sus muchas y graves ocupaciones, muestran la divinidad de sus ingenios y la alteza de sus conceptos, a despecho y pesar del circunspecto ignorante que juzga de lo que no sabe y aborrece lo que no entiende, y del que quiere que se estime y tenga en precio la necedad que se sienta debajo de doseles y la ignorancia que se arrima a los sitiales?

Otra vez le preguntaron qué era la causa de que los poetas, por la mayor parte, eran pobres. Respondió que porque ellos querían, pues estaba en su mano ser ricos, si se sabían aprovechar de la ocasión que por momentos traían entre las manos, que eran las de sus damas, que todas eran riquísimas en extremo, pues tenían los cabellos de oro, la frente de plata bruñida, los ojos de verdes esmeraldas, los dientes de marfil, los labios de coral y la garganta de cristal transparente, y que lo que lloraban eran líquidas perlas; y más, que lo que sus plantas pisaban, por dura y estéril tierra que fuese, al momento producía jazmines y rosas; y que su aliento era puro ámbar, almizcle y algalia; y que todas estas cosas eran señales y muestras de su mucha riqueza. Estas y otras cosas decía de los malos poetas; que de los buenos siempre dijo bien y los levantó sobre el cuerno de la luna.

(*El licenciado Vidriera*)

El acabar estos últimos versos y el llegar volando dos medios ladrillos fue todo uno; que si como dieron junto a los pies del músico, le dieran en mitad de la cabeza, con facilidad le sacaran de los cascos la música y la poesía. Asombróse el pobre, y dio a correr por aquella cuesta arriba con tanta priesa, que no le alcanzara un galgo. ¡Infelice estado de los músicos, murciégalos y lechuzos, siempre sujetos a semejantes lluvias y desmanes! A todos los que escuchado habían la voz del apedreado les pareció bien; pero a quien mejor, fue a Tomás Pedro, que admiró la voz y el romance; mas quisiera él que de otra cosa que Costanza naciera la ocasión de tantas músicas, puesto que a sus oídos jamás llegó ninguna.

Contrario deste parecer fue Barrabás, el mozo de mulas, que también estuvo atento a la música; porque así como vio huir al músico, dijo:

—¡Allá irás, mentecato, trovador de Judas, que pulgas te coman los ojos! Y ¿quién diablos te enseñó a cantar a una fregona cosas de esferas y de cielos, llamándola lunes y martes, y de ruedas de fortuna? Dijérasla, noramala para ti y para quien le hubiere parecido bien tu trova, que es tiesa como un espárrago, entonada como un plumaje, blanca como una leche, honesta como un fraile novicio, melindrosa y zaharena como una mula de alquiler, y más dura que un pedazo de argamasa; que como esto le dijeras, ella lo entendiera y se holgara; pero llamarla embajador, y red, y moble, y alteza, y bajeza, más es para decirlo a un niño de la doctrina que a una fregona. Verdaderamente que hay poetas en el mundo que escriben trovas que no hay diablo que las entienda. Yo, a lo menos, aunque soy Barrabás, éstas que ha cantado este músico de ninguna manera las entreveo: ¡miren que hará Costancica! Pero ella lo hace mejor: que se está en su cama haciendo burlas del mismo Preste Juan de las Indias. Este músico, a lo menos, no es de los del hijo del Corregidor; que aquéllos son muchos, y una vez que otra se dejan entender; pero éste, ¡voto a tal que me deja mohíno!

Todos los que escucharon a Barrabás recibieron gran gusto, y tuvieron su censura y parecer por muy acertado.

(*La ilustre fregona*)

...digo que en aquel silencio y soledad de mis siestas, entre otras cosas, consideraba que no debía de ser verdad lo que había oído contar de la vida de los pastores; a lo menos, de aquéllos que la dama de mi amo leía en unos libros, cuando yo iba a su casa, que todos trataban de pastores y pastoras, diciendo que se les pasaba toda la vida cantando y tañendo con gaitas, zampoñas, rabeles y chirumbelas, y con otros instrumentos extraordinarios. Deteníame a oírla leer, y leía como el pastor de Anfriso cantaba extremada y divinamente, alabando a la sin par Belisarda, sin haber en todos los montes de Arcadia árbol en cuyo tronco no se hubiese sentado a cantar, desde que salía el sol en brazos de la Aurora hasta que se ponía en los de Tetis; y aun después de haber tendido la negra noche por la faz de la tierra sus negras y escuras alas, él no cesaba de sus bien cantadas y mejor lloradas quejas. No se le quedaba entre renglones el pastor Elicio, más enamorado que atrevido, de quien decía que, sin atender a sus amores ni a su ganado, se entraba en los cuidados ajenos. Decía también que el gran pastor de Fílida, único pintor de un retrato, había sido más confiado que dichoso. De los desmayos de Sireno y arrepentimiento de Diana decía que daba gracias a Dios y a la sabia Felicia, que con su agua encantada deshizo aquella máquina de enredos y aclaró aquel laberinto de dificultades. Acordábame de otros muchos libros que deste jaez la había oído leer; pero no eran dignos de traerlos a la memoria.

Digo que todos los pensamientos que he dicho, y muchos más, me causaron ver los diferentes tratos y ejercicios que mis pastores y todos los demás de aquella marina tenían de aquéllos que había oído leer que tenían los pastores de los libros; porque si los míos cantaban, no eran canciones acordadas y bien compuestas, sino un

Cata el lobo dó va, Juanica,

y otras cosas semejantes; y esto, no al són de chirumbelas, rabeles o gaitas, sino al que hacía el dar un cayado con otro, o al de algunas tejuelas puestas entre los dedos; y no con voces delicadas, sonoras y admirables, sino con voces roncas, que, solas o juntas, parecía, no que cantaban, sino que gritaban o gruñían. Lo más del día se les pasaba espulgándose, o remendando sus abarcas; ni entre ellos se nombraban Amarilis, Fílidas, Galateas y Dianas, ni había Lisardos, Lausos, Jacintos ni Riselos; todos eran Antones, Domingos, Pablos o Llorentes; por donde vine a entender lo que pienso que deben de creer todos: que todos aquellos libros son cosas soñadas y bien escritas para entretenimiento de los ociosos, y no verdad alguna; que a serlo, entre mis pastores hubiera alguna reliquia de aquella felicísima vida, y de aquellos amenos prados, espaciosas selvas, sagrados montes, hermosos jardines, arroyos claros y cristalinas fuentes, y de aquellos tan honestos cuanto bien declarados requiebros, y de aquel desmayarse aquí el pastor, allí la pastora, acullá resonar la zampoña del uno, acá el caramillo del otro.

(*El coloquio de los perros*)

Posible cosa es que un oficial sea poeta, porque la poesía no está en las manos, sino en el entendimiento, y tan capaz es el alma del sastre para ser poeta, como la de un maese de campo, porque las almas todas son iguales, y de una misma masa en sus principios criadas y formadas por su Hacedor, y, según la caja y temperamento del cuerpo donde las encierra, así parecen ellas más o menos discretas, y atienden y se aficionan a saber las ciencias, artes o habilidades a que las estrellas más las inclinan; pero más principalmente y propia se dice que el poeta *nascitur.* Así que no hay que admirar de que Rutilio sea poeta, aunque haya sido maestro de danzar.

(*Persiles,* I, 18)

Pero la excelencia de la poesía es tan limpia como el agua clara, que a todo lo no limpio aprovecha; es como el sol, que pasa por todas las cosas inmundas sin que se le pegue nada; es habilidad, que tanto vale cuanto se estima; es un rayo que suele salir de donde está encerrado, no abrasando, sino alumbrando; es instrumento acordado que dulcemente alegra los sentidos, y, al paso del deleite, lleva consigo la honestidad y el provecho.

(*Persiles,* III, 2)

La historia, la poesía y la pintura simbolizan entre sí y se parecen tanto, que cuando escribes historia, pintas, y cuando pintas, compones. No siempre va en un mismo peso la historia, ni la pintura pinta cosas grandes y magníficas, ni la poesía conversa siempre por los cielos. Bajezas admite la historia; la pintura, hierbas y retamas en sus cuadros; y la poesía, tal vez se realza cantando cosas humildes.

(*Persiles,* III, 14)

REYNALDOS

¿Has visto, pastor, acaso,
por entre aquesta espesura,
un milagro de hermosura
por quien yo mil muertes paso?
¿Has visto unos ojos bellos
que dos estrellas semejan,
y unos cabellos que dejan,
por ser oro, ser cabellos?
¿Has visto, a dicha, una frente
como espaciosa ribera,
y una hilera y otra hilera
de ricas perlas de Oriente?
Dime si has visto una boca
que respira olor sabeo,
y unos labios por quien creo
que el fino coral se apoca.
Di si has visto una garganta
que es coluna deste cielo,
y un blanco pecho de yelo,
do su fuego amor quebranta,
y unas manos que son hechas
a torno de marfil blanco,
y un compuesto que es el blanco
do amor despunta sus flechas.

CORINTO

¿Tiene, por dicha, señor,
ombligo aquesa quimera,
o pies de barro, como era
la de aquel rey Donosor?
Porque, a decirte verdad,
no he visto en estas montañas
cosas tan ricas y extrañas
y de tanta calidad.
Y fuera muy fácil cosa,
si ellas por aquí anduvieran,
por invisibles que fueran,
verlas mi vista curiosa.
Que una espaciosa ribera,
dos estrellas y un tesoro

de cabellos, ¡qué sonoro!,
¿dónde esconderse pudiera?
Y el sabeo olor que dices,
¿no me llevara tras sí?
Porque en mi vida sentí
romadizo en mis narices.
Mas, en fin, decirte quiero
lo que he hallado, y no ser terco.

REYNALDOS

¿Qué son? Habla.

CORINTO

Tres pies de puerco
y unas manos de carnero.

(*La casa de los celos,* Jorn. III)

TÁCITO

Díganos, gentilhombre,
así la diosa de la verecundia
reciproque su nombre,
y el blanco pecho de tremante enjundia
soborne en confornino:
¿adónde va, si sabe, este camino?

ANASTASIO

Mancebo, soy de lejos,
y no sé responder a esa pregunta.

TÁCITO

Dígame: ¿son reflejos
los marcutcios que asoman por la punta
de aquel monte, compadre?

ANASTASIO

Habláisme de tal suerte,
que no sé responderos.

TÁCITO

Pues atiende,
gamicivo, y está atento.
Digo que ¿si mi paso
tiendo por los barrancos deste llano,
si podrá hacer al caso?

ANASTASIO

Digo que no os entiendo, amigo hermano.

TÁCITO

Pues bien claro se aclara,
que es clara, si no es turbia, el agua clara.
Quiero decir que el tronto,
por do su curso lleva al horizonte,
está a caballo, y prompto
a propagar la cima de aquel monte.

ANASTASIO

¡Ya, ya; ya estoy en ello!

(*Laberinto de amor,* jorn. I)

ÍNDICE DE LÁMINAS

Entre págs.

TERMINÓ DE IMPRIMIR ESTA OBRA
EL DÍA 14 DE MARZO DE 1980

TITULOS PUBLICADOS

1 / **Luis de Góngora**
SONETOS COMPLETOS
Edición, introducción y notas de
Biruté Ciplijauskaité

2 / **Pedro Salinas**
LA VOZ A TI DEBIDA. RAZÓN DE AMOR
Edición, introducción y notas de
Joaquín González Muela.

3 / **José Martínez Ruiz, Azorín**
LA VOLUNTAD
Edición, introducción y notas de
E. Inman Fox.

4 / **Nicasio Álvarez de Cienfuegos**
POESÍAS
Edición, introducción y notas de
José Luis Cano.

5 / **Leandro Fernández de Moratín**
LA COMEDIA NUEVA. EL SÍ DE LAS NIÑAS
Ediciones, introducciones y notas
de John Dowling y René Andioc.

6 / **Garcilaso de la Vega**
POESÍAS CASTELLANAS COMPLETAS
Edición, introducción y notas de
Elías L. Rivers.

7 / **Félix María Samaniego**
FÁBULAS
Edición, introducción y notas de
Ernesto Jareño.

8 / **Villamediana**
OBRAS
Edición, introducción y notas de
Juan Manuel Rozas.

9 / **Don Juan Manuel**
EL CONDE LUCANOR
Edición, introducción y notas de
José Manuel Blecua.

10 / **Lope de Vega. C. de Monroy**
FUENTE OVEJUNA
(Dos comedias)
Edición, introducción y notas de
Francisco López Estrada.

11 / **Juan de Valdés**
DIÁLOGO DE LA LENGUA
Edición, introducción y notas de
Juan M. Lope Blanch.

12 / **Miguel de Cervantes**
LOS TRABAJOS DE PERSILES Y SIGISMUNDA
Edición, introducción y notas de
Juan Bautista Avalle-Arce.

13 / **Francisco Delicado**
LA LOZANA ANDALUZA
Edición, introducción y notas de
Bruno Damiani.

14 / **Baltasar Gracián**
AGUDEZA Y ARTE DE INGENIO. Tomo I
Edición, introducción y notas de
Evaristo Correa Calderón.

15 / **Baltasar Gracián**
AGUDEZA Y ARTE DE INGENIO. Tomo II
Edición, introducción y notas de
Evaristo Correa Calderón.

16 / **Manuel José Quintana**
POESÍAS COMPLETAS
Edición, introducción y notas de
Albert Dérozier.

35 / **Antonio Buero Vallejo**
EL CONCIERTO DE SAN OVIDIO.
EL TRAGALUZ
Edición, introducción y notas de Ricardo Doménech.

36 / **Ramón Pérez de Ayala**
TINIEBLAS EN LAS CUMBRES
Edición, introducción y notas de Andrés Amorós.

37 / **Juan Eugenio Hartzenbusch**
LOS AMANTES DE TERUEL
Edición, introducción y notas de Salvador García.

38 / **Francisco de Rojas Zorilla**
DEL REY ABAJO, NINGUNO
Edición, introducción y notas de Jean Testas.

39 / **Diego de San Pedro**
OBRAS COMPLETAS, II. CÁRCEL DEL AMOR
Edición, introducción y notas de Keith Whinnom

40 / **Juan de Arguijo**
OBRA POÉTICA
Edición, introducción y notas de Stanko B. Vranich.

41 / **Alonso Fernández de Avellaneda**
EL INGENIOSO HIDALGO DON QUIJOTE DE LA MANCHA, que contiene su tercera salida y es la quinta parte de sus aventuras
Edición, introducción y notas de Fernando G. Salinero.

42 / **Antonio Machado**
JUAN DE MAIRENA (1936)
Edición, introducción y notas de José María Valverde.

43 / **Vicente Aleixandre**
ESPADAS COMO LABIOS. LA DESTRUCCIÓN O EL AMOR
Edición, introducción y notas de José Luis Cano.

44 / **Agustín de Rojas Villandrando**
EL VIAJE ENTRETENIDO
Edición, introducción y notas de Jean Pierre Ressot.

45 / **Vicente Espinel**
VIDA DEL ESCUDERO MARCOS DE OBREGÓN. Tomo I
Edición, introducción y notas de M.ª Soledad Carrasco Urgoiti.

46 / **Vicente Espinel**
VIDA DEL ESCUDERO MARCOS DE OBREGÓN. Tomo II
Edición, introducción y notas de M.ª Soledad Carrasco Urgoiti.

47 / **Diego de Torres Villarroel**
VIDA, ascendencia, nacimiento, crianza y aventuras
Edición, introducción y notas de Guy Mercadier.

48 / **Rafael Alberti**
MARINERO EN TIERRA. LA AMANTE. EL ALBA DEL ALHELÍ
Edición, introducción y notas de Robert Marrast.

49 / **Gonzalo de Berceo**
VIDA DE SANTO DOMINGO DE SILOS
Edición, introducción y notas de Teresa Labarta de Chaves.

50 / **Francisco de Quevedo**
SUEÑOS Y DISCURSOS
Edición, introducción y notas de Felipe C. R. Maldonado.

51 / Bartolomé de Torres Naharro
COMEDIAS
Edición, introducción y notas de D. W. McPheeters.

52 / Ramón Pérez de Ayala
TROTERAS Y DANZADERAS
Edición, introducción y notas de Andrés Amorós.

53 / Azorín
DOÑA INÉS
Edición, introducción y notas de Elena Catena.

54 / Diego de San Pedro
OBRAS COMPLETAS, I.
TRACTADO DE AMORES DE ARNALTE Y LUCENDA.
SERMON
Edición, introducción y notas de Keith Whinnom.

55 / Lope de Vega
EL PEREGRINO EN SU PATRIA
Edición, introducción y notas de Juan Bautista Avalle-Arce.

56 / Manuel Altolaguirre
LAS ISLAS INVITADAS
Edición, introducción y notas de Margarita Smerdou Altolaguirre.

57 / Miguel de Cervantes
VIAJE DEL PARNASO.
POESÍAS COMPLETAS, I
Edición, introducción y notas de Vicente Gaos.

58 / LA VIDA DE LAZARILLO DE TORMES Y DE SUS FORTUNAS Y ADVERSIDADES
Edición, introducción y notas de Alberto Blecua.

59 / Azorín
LOS PUEBLOS.
LA ANDALUCÍA TRÁGICA Y OTROS ARTÍCULOS (1904-1905)
Edición, introducción y notas de José María Valverde.

60 / Francisco de Quevedo
POEMAS ESCOGIDOS
Selección, introducción y notas de José Manuel Blecua.

61 / Alfonso Sastre
ESCUADRA HACIA LA MUERTE
LA MORDAZA
Edición, introduccion y notas de Farris Anderson.

62 / Juan del Encina
POESÍA LÍRICA
Y CANCIONERO MUSICAL
Edición, introducción y notas de R. O. Jones y Carolyn R. Lee.

63 / Lope de Vega
LA ARCADIA
Edición, introducción y notas de Edwin S. Morby.

64 / Marqués de Santillana
POESÍAS COMPLETAS, I.
Serranillas, cantares y decires.
Sonetos fechos al itálico modo
Edición, introducción y notas de Manuel Durán.

65 / POESÍA DEL SIGLO XVIII
Selección, introducción y notas de John H. R. Polt.

66 / Juan Rodríguez del Padrón
SIERVO LIBRE DE AMOR
Edición, introducción y notas de Antonio Prieto.

67 / Francisco de Quevedo
LA HORA DE TODOS
Edición, introducción y notas de Luisa López-Grigera.

68 / Lope de Vega
SERVIR A SEÑOR DISCRETO
Edición, introducción y notas de Frida Weber de Kurlat.

69 / Leopoldo Alas, Clarín
TERESA. AVECILLA. EL HOMBRE DE LOS ESTRENOS
Edición, introducción y notas de Leonardo Romero.

70 / Mariano José de Larra
ARTÍCULOS VARIOS
Edición, introducción y notas de Evaristo Correa Calderón.

71 / Vicente Aleixandre
SOMBRA DEL PARAÍSO
Edición, introducción y notas de Leopoldo de Luis.

72 / Lucas Fernández
FARSAS Y ÉGLOGAS
Edición, introducción y notas de M.ª Josefa Canellada.

73 / Dionisio Ridruejo
PRIMER LIBRO DE AMOR. POESÍA EN ARMAS. SONETOS
Edición, introducción y notas de Dionisio Ridruejo.

74 / Gustavo Adolfo Bécquer
RIMAS
Edición, introducción y notas de José Carlos de Torres.

75 / POEMA DE MIO CID
Edición, introducción y notas de Ian Michael.

76 / Guillén de Castro
LOS MAL CASADOS DE VALENCIA
Edición, introducción y notas de Luciano García Lorenzo.

77/Miguel de Cervantes
DON QUIJOTE DE LA MANCHA, Parte I (1605)
Edición, introducción y notas de Luis Andrés Murillo.

78 / Miguel de Cervantes
DON QUIJOTE DE LA MANCHA, Parte II (1615)
Edición, introducción y notas de Luis Andrés Murillo.

79 / Luis Andrés Murillo
BIBLIOGRAFÍA FUNDAMENTAL SOBRE «DON QUIJOTE DE LA MANCHA» DE MIGUEL DE CERVANTES

80 / Miguel Mihura
TRES SOMBREROS DE COPA. MARIBEL Y LA EXTRAÑA FAMILIA
Edición, introducción y notas de Miguel Mihura.

81 / José de Espronceda
EL ESTUDIANTE DE SALAMANCA. EL DIABLO MUNDO
Edición, introducción y notas de Robert Marrast.

82 / Pedro Calderón de la Barca
EL ALCALDE DE ZALAMEA
Edición, introducción y notas de José M.ª Díez Borque.

83 / Tomás de Iriarte
EL SEÑORITO MIMADO. LA SEÑORITA MALCRIADA
Edición, introducción y notas de Russell P. Sebold.

84 / Tirso de Molina
EL BANDOLERO
Edición, introducción y notas de André Nougué.

85 / José Zorrilla
EL ZAPATERO Y EL REY
Edición, introducción y notas de Jean Louis Picoche.

86 / VIDA Y HECHOS DE ESTEBANILLO GONZÁLEZ. Tomo I
Edición, introducción y notas de N. Spadaccini y Anthony N. Zahareas.

87 / **VIDA Y HECHOS DE ESTEBANILLO GONZÁLEZ. Tomo II**
Edición, introducción y notas de N. Spadaccini y Anthony N. Zahareas.

88 / **Fernán Caballero**
LA FAMILIA DE ALVAREDA
Edición, introducción y notas de Julio Rodríguez Luis.

89 / **Emilio Prados**
LA PIEDRA ESCRITA
Edición, introducción y notas de José Sanchis-Banús.

90 / **Rosalía de Castro**
EN LAS ORILLAS DEL SAR
Edición, introducción y notas de Marina Mayoral Díaz.

91 / **Alonso de Ercilla**
LA ARAUCANA. Tomo I
Edición, introducción y notas de Marcos A. Morínigo e Isaías Lerner.

92 / **Alonso de Ercilla**
LA ARAUCANA. Tomo II
Edición, introducción y notas de Marcos A. Morínigo e Isaías Lerner.

93 / **José María de Pereda**
LA PUCHERA
Edición, introducción y notas de Laureano Bonet.

94 / **Marqués de Santillana**
POESÍAS COMPLETAS. Tomo II
Edición, introducción y notas de Manuel Durán.

95 / **Fernán Caballero**
LA GAVIOTA
Edición, introducción y notas de Carmen Bravo-Villasante.

96 / **Gonzalo de Berceo**
SIGNOS QUE APARECERÁN ANTES DEL JUICIO FINAL. DUELO DE LA VIRGEN. MARTIRIO DE SAN LORENZO
Edición, introducción y notas de Arturo Ramoneda.

97 / **Sebastián de Horozco**
REPRESENTACIONES
Edición, introducción y notas de F. González Ollé.

98 / **Diego de San Pedro**
PASION TROVADA. POESIAS MENORES DESPRECIO DE LA FORTUNA
Edición, introducción y notas de Keith Whinnom y Dorothy S. Severin.

99 / **Ausias March**
OBRA POÉTICA COMPLETA. Tomo I
Edición, introducción y notas de Rafael Ferreres.

100 / **Ausias March**
OBRA POÉTICA COMPLETA. Tomo II
Edición, introducción y notas de Rafael Ferreres.